すぐに使える 手順と知識

ヒヌカン・仏壇
お墓と年中行事

稲福政斉

ボーダーインク

本書を読まれる方へ

沖縄の年中行事や祭祀儀礼はとかく難しく、そしてわずらわしいものと考えられがちです。とくに、若い方や県外出身の方が、実際に行事を取り仕切らねばならない状況に立たされたときには、そうした思いを強く抱かれることでしょう。そして、こうしたときにまず知りたいと思うのは、「この行事には何を、いくつ、どの順序で供えるのか」「この行事で供えるウコー（線香）は何本か」といった、直接的に行事の実践に役立つことがらではないでしょうか。

この世の中、どの道にもプロは存在しますから、その指導を仰ぐのもひとつの方法ですが、沖縄のウグヮン（祭祀儀礼）界のプロともいうべきユタやムヌシリとよばれる方々による行事の作法、供え物の整えかたや意味づけなどは、実のところ人ごとにかなりまちまちです。これは、その多くが神の啓示にもとづく各人オリジナルの解釈と、長年にわたるミーナリチナリ（見聞きして習得すること）とが渾然一体となって構成されているためです。何人ものプロの指導を受ければ受けるほど、何冊ものマニュアル本をひもとき、インターネット上の情報を検索すればするほど、いったい何が正解なのかわからなくなり、さらに不安に陥ってしまったとの話があちこちで聞かれるのも、このあたりに理由があるようです。

そこで、これを読めば沖縄の主要な年中行事をひととおり自分でおこなえる「知識」や、これを知っておくと便利という「わざ」を、多くの皆さまにご紹介したいと考えて筆を執ったのが、本書『ヒヌカン・仏壇・お墓と年中行事』です。

沖縄のウグヮンにある程度詳しい方からすると、「あれも書いていないし、これも抜け落ちている」と、物足りなさをお感じになる内容かもしれません。しかし本書は、あくまで折目節日《ウユミシチビ》（年中行事）の入門編、初級編として編んだもので、あまり複雑にならないよう留意し、とりあえずこの程度のことを知っていれば実践は可能、ということがらを選んで紹介しています。まずは本書で折目節日の基本をご理解いただき、ひととおり自身の手で実践できるようになれば、昔から身近におこなわれているしきたりや、より自分の考えに近い納得のいく方法を取り入れるなど、徐々に応用編へと歩をおすすめいただければと思います。

沖縄独特の年中行事の実践、ヒヌカン・仏壇・お墓に関する手引書として、ひとりでも多くの方に本書を座右に置いてお役立ていただければ、望外の幸いです。

目次

すぐに使える手順と知識
ヒヌカン・仏壇・お墓と年中行事

ヒヌカンのはなし

ヒヌカンのよび名とその意味

現在も多くのご家庭で台所におまつりされるヒヌカン（火の神）は、沖縄のウグヮンに関するさまざまなことがらの中でも、とくに関心の高いもののひとつといえます。

地域によってヒヌカンにはさまざまなよび名があります。このうち、ヒヌカンやピナカンは「火の神」、ウカマは「御竈」、ヤヌカンやダヌカンは「家の神」のこととされています。

また、ヒヌカンをウミチムンとよぶこともありますが、これは「御三つ物」の意味で、もともとヒヌカンには神体として3個の石が置かれていたことによるものです。この石は、地面に三角形を描くように据えた3個の石の上に鍋などをのせ、その下に薪《たきぎ》をくべる、古い時代のかまど、いわゆる「三つ石かまど」を象徴したものといわれていますが、近ごろでは拝所のヒヌカンにみられる程度になりました。

ヒヌカンのふたつの役割

大きく分けると、ヒヌカンには一家の守り神とウトゥーシドゥクル（お通し所）のふたつの役割があります。

一家の守り神としてのヒヌカンは、家庭の繁栄や家業の繁盛をはじめ、家族の健康や安全、病気の回復などを祈るほか、出産や結婚、死亡、引越し、進学や就職の報告など、家庭のなかであらゆることがおこるたびに拝まれます。また、年中行事や法事などでも、これからウグヮンをはじめることを最初にヒヌカンに報告してから、仏壇や墓、拝所などを拝むことが一般的です。なお、家庭のヒヌカンを拝むのはふつ

台所にまつられたヒヌカン。白い焼物の道具類が定番化したのは、ごく近年のことです。

う家族だけで、仏壇のように親戚など他家の人が拝むことはまずありません。まさにその一家の、家族だけの守り神というわけです。

もうひとつの役割であるウトゥーシドゥクルとは、各家庭のヒヌカンから遠く離れた聖地などを拝むことができるというものです。たとえば、ウヤファーフジ（ご先祖様）のお墓や親元の仏壇を拝まなければならなくなったとき、事情があって実際その場所まで行けない場合には、自宅のヒヌカンで祈願や報告をすると、それが通ずるとされます。

ヒヌカンをまつるための道具など

家庭の台所のヒヌカンには、向かって右にウコール（香炉《こうろ》）、左にハナイチ（花生《はないけ》）、その前に湯のみやコップ、小皿を、それぞれひとつずつ置くのが一般的で、これに酒を入れた盃《さかずき》が加わることもあります。ヒヌカンの道具には絵柄のない白い焼物が多く使われますが、もとも

市販のヒヌカンの道具類。白い焼物のウコールやハナイチが数多く並び、需要の高いことがわかります。

とは色や絵柄の有無にはとくにきまりはなかったようです。

これらの道具のうち、線香（ヒヌカンにはふつう黒い板状のヒラウコーを供えます）を立てるウコールはもっとも重要なものとされ、ヒヌカンの神体と考える方もおいでです。なお、3つの足が付いたウコールは、足1つが手前正面を向くように置くのが古くからの習わしです。

ハナイチには、チャーギ（イヌマキ）、フチマ（マサキ）、クロトンなどの小枝を挿《さ》し、花は生けないのが一般的です。枯れないうちに新しいものに取りかえるよう心がけましょう。

湯のみやコップには水を入れますが、ガラスの器は使ううちに水に含まれる石灰のこびりつきが目立ってくるので、焼物のほうがよいでしょう。

小皿には塩を盛ります。小さな盃などで型抜きして盛るときれいです。1つの皿に1盛りとするか3つの山をつくるかは、家庭によって異なります。

ウブクを盛る脚付きの器は仏飯器といい、沖縄ではごく最近普及した日本の仏具です。

日々のまつりかたとチータチ・ジューグニチ

毎朝線香を立てる方もおいでですが、ふだんは手を合わせて一日の家族の無事を祈り、折をみてハナイチや湯のみの水、塩などを取りかえれば十分でしょう。湿度の高い梅雨時などはとくに塩が溶けやすいので、こまめに取りかえたいものです。

旧暦の毎月1日と15日、いわゆるチータチ・ジューグニチには、ウコールにヒラウコー12本（2枚）、あるいは15本（2枚と2分の1枚）を立て、ウブク（米のご飯を小さな器に盛ったもの）を3つ供え、一家の繁栄や家族の無事を祈願します。

ウブクにするご飯は、家族が食べる前のお初《はつ》をとるようにします。水でぬらしたカレースプーンなどで山形にととのえながら盛ると、きれいなウブクになります。器は、湯のみやぐい飲みのようなものでかまいませんが、ふだん使いの食器とは別に、専用のものを用意しておきましょう。

チータチ・ジューグニチに供えられた3つのウブク。

ウコールの灰

家庭にまつられるヒヌカンは、年に一度、旧暦12月24日に天に上り、一年の間に家族がおこなった善事悪事のすべてを天の神様に報告するとされています。

この年末の報告にそなえ、ヒヌカンは日ごろから家族の動きを記録し、その帳簿をウコール（香炉《こうろ》）の灰の中に隠しているといいます。ヒヌカンのウコールは年に一度、旧暦12月24日の前にだけ掃除をするものというお話は結構聞かれますが、これは、ふだんからやたらウコールにさわると、帳簿を探し出して都合の悪い記録をもみ消そうとしていると、ヒヌカンに疑われるためといわれます。

このことと関連するのでしょうが、「灰が風で飛び散らないよう、線香を立てないときはヒヌカンのウコールにラップをかけていますが、大丈夫でしょうか」とのご質問をお受けしたことがあります。ヒヌカンのウコールの掃除は年に一度しかできないというルールが拡大

近年多くの家庭で使われるようになった、ステンレス製の「火の神置台」。

解釈され、まわりに灰がこぼれてもそのままにしているというご家庭もおありのようですが、神様をまつる場所はやはり常にきれいにしておきたいものです。ウコールからあふれた灰がこぼれたままというよりは、むしろウコールにラップをかけて灰が飛び散らないようにしたほうがよいかもしれません。

ウコールの置き場所や大きさ

灰の飛び散りを防ぐため、風の通りぬける窓際や換気扇のそばなどにヒヌカンをおまつりするのも、できるだけ避けたほうがよいでしょう。おまつりした場所の背後が窓になっている場合、クサティ（背後を覆《おお》うもの）がないと神様も落ち着かないなどといって、板などを立てることがありますが、これは風よけとしても効果的といえます。なお、近ごろは、ヒヌカンをおまつりするためのスペースとして、台所の壁の一部にニッチ（くぼみ）を設ける例もみられます。

また、台所の貴重なスペースをあまりヒヌカンにとられたくないと、小さなウコールを選ばれる方も結構多いようですが、ウコールは小さすぎると線香も立てにくいうえに灰もあふれやすく、実際のところあまり使い勝手のよいものではありません。

結論を申し上げますと、ある程度大きさのあるウコールを求め、年末の掃除のときには灰を多めに取り除くようにし、できるだけ窓際などを避けておまつりすれば、とくにラップなどをかけなくとも、灰が飛び散って周囲をよごすという心配はほぼなくなるかと思われます。

願かけは1年ごとの更新制

旧暦12月には、一年の間にさまざまな願かけをしてきた神仏を改めて拝み、感謝をささげるウグヮンブトゥチ（御願解《ほど》き）の行事があります。御願を解くという名の示すとおり、ウグヮンブトゥチはもともと「かけた願いをいったん解除する」目的でおこなわれるものですか

沖縄本島地域では、ヒヌカンの供え物は基本的に3つとされる家庭が多いようです。供えられているのはチクジャキ（菊酒）です。

ら、沖縄では願いごとは一年ごとに更新が必要と考えられてきたようです。旧暦12月におこなうヤシチヌウグヮン（屋敷の御願）や、ウカチミ（十二支《じゅうにし》の守本尊《まもりほんぞん》とされる仏様）がまつられた寺院への参詣なども、このウグヮンブトゥチのひとつというわけです。

つまり、本来の意味からすると、旧暦12月にはその年に拝んだウタキ（御嶽）やカー（井戸や湧き水）、寺社のすべてを訪ねまわり、ひとつひとつ拝んで願いごとの取り下げをしなければならないわけですが、なにかと慌ただしい年の瀬にそのような大がかりなウグヮンはちょっと無理というものです。

そこで、古くからたいへん便利に、そしてさかんに活用されてきたのが、各家庭のヒヌカンにそなわるウトゥーシドゥクル（お通し所）の機能です。つまり、ヒヌカンでウグヮンブトゥチをする際に、一年のうちに拝んだすべての神様や仏様へのお取りつぎもお願いして、これですべての祈願を一度に解いてしまうというわけです。なお、このヒヌカンを通しておこなうウグヮンブトゥチは、その年のすべての祈願を一括で取り下げるため、かりに拝んだ場所のいくつかをすっかり忘れていたとしても解除もれがなく、その点でもとても好都合な方法といえましょう。

ウグヮンブトゥチとヒヌカンの上天

ところで、ヒヌカンは一年間の家族のおこないを報告するため、毎年旧暦12月24日に天に上ることは、すでにご紹介しておきました。この日は、ヒヌカンにお守りいただいたおかげで無事に一年を過ごせたことに感謝するとともに、天の神様には家族のよいおこないだけを報告し、決して悪いことは告げ口しないようにと願います。

この旧暦12月24日のヒヌカンの上天のウグヮンと、一年間かけてきた願いごとを年末にいったん解くウグヮンブトゥチとは、もとはそれぞれ別の行事だったと思われます。しかし、どちらも一年間を締めくくる意味をもつウグヮンであることや、どちらの行事でもヒヌカンを拝むこともあって、両者をとくに区別せずにどちらもウグヮンブトゥチとよび、行事じたいもまとめて一度に済ませるご家庭もかなり多いようです。

ちなみに、ウグヮンブトゥチである12月のヤシチヌウグヮンなどと、ヒヌカンの上天のウグヮンを一度におこなうと、供え物の用意も一度だけで済むというコスト面での利点があることも、付け加えておきたいと思います。

年に一度の大掃除

ヒヌカンが天に上るとされる旧暦12月24日には、おまつりしてある場所を掃除し、道具類もきれいにします。年末の煤払《すすはら》いということで、ふだんはできないヒヌカンのウコール（香炉）の掃除も、このときだけは解禁となります。

このときのウコール掃除は、灰の中から例の帳簿を探し出す年に一度のチャンスで、これを怠《おこた》ると家族には都合の悪いことをあれこれ告げ口されるといいますから、くれぐれもご注意ください。

ウコールの掃除の手順ですが、まず紙など敷いて中の灰をすべてこぼし、線香の燃えのこりや固まった灰などを取りのぞきます。灰をふるいにかける方もおいでですが、毎年掃除をしていればそこまで念入りでなくとも大丈夫でしょう。ウコールは水洗いしますが、油汚れがひどければ洗剤を使ってもかまいません。ウコールがすっかり乾いてから灰を中に戻しますが、灰が多いとせっかく掃除をしてもまたすぐにウコールからあふれ出て周囲を汚しますので、戻す量は7割ほどにとどめておきます。このとき、残った灰は人の踏まない庭の隅や花鉢の中などにまくとよいでしょう。

ハナイチ（花生）や湯のみなどの道具も香炉と同じように洗い清め、チャーギなどの葉は新しいものに生けかえ、水や塩なども新たに供え

ヒヌカンの上天に供えられたヒラウコー。これは、一定の時間をあけて3本を次々に7回立てる方法です。

なおします。欠けたり古くなったりした道具は、このときに取りかえておきたいものです。

ヒヌカン上天のお供え

ヒヌカンが天に上るときの供え物は、線香、酒（泡盛）、ハナグミ（生米）、シルカビ（書道用の半紙を4分の1ないし8分の1に切り分けたもの。3枚を重ねて一組とします）3組を基本として、家庭によってはこれにウブク（米のご飯を小さな器に盛ったもの）、みかん、ウチャヌク（3段重ねの白餅）などが加わります（これらを供える場合は、いずれも3つずつとします）。シルカビはヒヌカンの正面手前に並べ、みかんなどを供えるときはこの上に1個ずつのせます。ハナグミは、一年のけがれを洗い清めるという意味から、7回洗ったものを供えることもあります。

線香は、ヒラウコー15本（2枚と2分の1枚）を供えますが、そのあと先に供えたものが燃えきらないうちに新しい線香を立てることを7

回くり返すご家庭もあります。これは、続けざまに焚《た》かれる線香の煙に乗ってヒヌカンが天に上るためとされますが、その回数や本数にはずいぶんと多くのバリエーションがあるようです。

お戻りの日はさまざま

ヒヌカンが年に一度天に上るという考えかたは中国南部から沖縄に伝わったもので、その本場ともいうべき中国では、旧暦12月24日に上天し、翌年の1月4日に下天するとされています。

しかし沖縄では、上天の日は中国と同じ12月24日ですが、下天の日は1月4日のほか、トゥシヌユール（大晦日《おおみそか》）、元日などとさまざまです。これは、沖縄でこの習慣が広まるうちに地域や家庭ごとの都合にあわせて変更されたもののようですが、いずれにせよ天の神への報告業務を済まされたヒヌカンは、向こう1年間の家族のおこないを記録する真新しい帳簿をたずさえて下天されます。

このときのお供えは、基本的にはほぼ上天のときと同じで、酒、ハナグミをはじめ、シルカビ、ウチャヌクやウブクなどです。ただ、下天のときにはこのうちいくつかを略するなど、簡素に済ませる傾向にあるようです。また、トゥシヌユールや元日を下天日とする家庭では、年末や年頭の祈願とあわせておこなうこともあって、とくに個別の供え物をしないこともしばしばです。

帰りも煙伝いに

ヒヌカンが下天されるときに供える線香は、ヒラウコー15本（ヒラウコー2枚と2分の1枚）が多いようですが、家庭によってはそのあと、最初に立てた線香が燃えつきないうちに次の線香を立て、続けて7回ないし5回供えます。これは上天のときと同じく、線香の煙伝《づた》いに天からヒヌカンが下りるとされるためです。

7回は上天のときと同じ供えかたですが、5回の場合にも一度に何本立てるか、そして最初の15本を含め5回とするるか、それとは別に3本を5回立てるのかなど、本数と回数には家庭ごとにいくつかのバリエーションがあります。なお、下天のときの線香が2回少ない理由は、上る日より下りる日は天が低くなるとか、ヒヌカンはある程度のところまでは煙を伝《つた》ってするする下り、あとはポンと飛び降りるなどと説明されるようです。

この下天のおまつりが済むと、いよいよヒヌカンの一年間の監視業務がはじまります。

仏壇のはなし

仏壇の構造など

ウヤファーフジ（ご先祖様）をまつるため、住まいの中に設けられる仏壇は、戸棚《とだな》のように建物に造りつけられたものと、たんすのように家具として作られたものに大きくわけられます。近ごろは、たんす式の仏壇をすき間なくぴったりと部屋の一画にはめ込むスタイルが流行のようです。

内部は奥がもっとも高い階段状に作られて、3段になったものが一般的です。前面には4枚のガラス障子の引戸が立てられ、ふだんは左右に引いて開けておきますが、盆や法事などのときにはすべて取りは

建物に造りつけられた仏壇（右）と、部屋の一画にはめ込んだ、たんす式の仏壇（左）。

ずします。また、下段の下に仕込まれた引き出し式の板は膳引《ぜんびき》といい、これを出せばより多くの供え物を並べることができます。

上段には位牌とハナイチ

拝む対象となる位牌は、仏壇内部の最上段に安置し、その両脇に一対のハナイチ（花生《はないけ》）を飾ります。位牌はふつう上段の中央に置きますが、2つ以上の位牌をまつる場合には、向かって右側に、より古い世代の祖先や本家筋の位牌といった上位の位牌を安置します。

仏壇のハナイチには、深い青色をした焼物で、2つの耳が付き、花の絵柄のあるものが多く使われます。このタイプのハナイチは正面がきまっていて、絵柄を表に向け、耳が左右にみえるように置きます。

ハナイチには、チャーギ（イヌマキ）やフチマ（マサキ）、クロトンなどの葉物の植物を生け、葉が枯れないうちに新しいものに取りかえるのが基本です。チャーギなどは水をこまめにかえれば青々とした葉がか

仏壇のハナイチに生けられたチャーギ（右）フチマ（中）クロトン（左）。

なり長くもちますが、庭先やベランダの鉢などにこれらの木を植えておけば調達も容易で、しかも経済的です。近ごろは水かえ不要で絶対に枯れない造花もずいぶん重宝されていますが、せめて盆や法事などの行事のときには本物の花や葉を挿《さ》したいものです。

中段の中心には盃を

中段には盃《さかずき》1個と、ウチャトーヂャワン（御茶湯茶碗）などとよぶ湯のみを一対置きます。盃を位牌の真下にあたる中央に置き、その左右にウチャトーヂャワンを1個ずつ配します。

盃は、酒（泡盛）を入れるための器ですが、特別な行事のときにだけ供えればよく、ふだんから盃を酒で満たしておく必要はありません。そのため、ふだんは盃を伏せたり、仏壇に盃を置いていなかったりというご家庭もあります。盃は、仏壇にじかに置くよりは盃台《さかずきだい》にのせたほうが品よくみえますし、盃からこぼれた酒で仏壇を汚すのを防ぐ

塗物の丸形の盃台（右）と、小型の高坏を使った盃台（左）。

効果もあります。小型の高坏《たかつき》などは、求めやすい値段のわりに見ばえもしますので、仏壇の盃台にはおすすめです。

湯のみにはお茶を

一対の湯のみにはお茶をいれてお供えします。仏壇に供えるお茶をウチャトー（御茶湯）といって、毎朝お供えするご家庭と、チータチ・ジューグニチ（旧暦の毎月1日と15日）にお供えするご家庭がありますが、いずれもその日最初にいれたものを供えるのが基本です。朝は忙しくてお供えがむずかしい場合でも、ウチャトーのためのお茶は必ず新たにいれ、家族がお茶を飲んだあとの急須から注ぐことは控えましょう。

お茶をいれた湯のみをじかに仏壇に置かれるご家庭もありますが、イチミ（現世）のお客さまにも茶托《ちゃたく》にのせてお茶をすすめるのですから、やはりウヤファーフジ（ご先祖様）を敬う意味でも、仏壇の湯のみは茶台《ちゃだい》（高い台付きの茶托）にのせたほうがよいでしょう。また、湯

茶台にのせた一対の湯のみと、酒、水を注いだガラス製のコップ。

のみもハナイチと同じく、絵柄がある場合はそれを手前に向けるようにし、ふたのついた湯のみの場合は、ふたはせずに側に置いておきます。
それから、仏壇の中段には盃や湯のみとともに、水を注いだガラス製のコップを置かれているご家庭も多いようです。これについては、お茶は湯のみ、水はコップで供えるべきとされる方もおいでになりますが、もともと洋食器であるコップを使うのはたいして古い習慣でもなさそうですから、とくに気にする必要はないでしょう。

下段にはウコール

下段には、中央に線香を立てるための道具であるウコール（香炉《こうろ》）を置きます。うっかり線香の火を落とし、焦《こ》がしてしまうことも多いため、下段の板にはウコールの下に耐火性のある専用のマット（仏具店などで売られています）やアルミホイルなどを敷き、防火策を講ずるご家庭も多いのですが、下段の寸法にぴったり合わせて切った透明の

ウコールの下に敷かれた防火用のマット。

ガラス板を敷き込むのが、使い勝手も見た目ももっともよいようです。

ウコールには3つの足が付いたものが多く、これは足1つを手前正面に向けて置きます。また、絵柄のあるウコールは、その中心が正面を向くように置きます。ですから、きちんとつくられたウコールは、ちょうど絵柄の正面の位置に足1つがついているものです。

仏壇のサイズや位牌とのバランスにもよるのですが、沖縄ではとにかく法事でも年中行事でも大量に線香を焚《た》くため、ウコールはできるだけ大きいものを選ばれることが得策です。大きいとじゃまだとか、値が張るからという理由で小さなウコールにしたものの、ほどなく線香の灰があふれて仏壇を汚すようになり、結局は大きいウコールに買いかえたという話もしばしば聞かれます。

青くなくても気にせずに

沖縄では、ウコールをはじめ、ハナイチ、湯のみなど仏壇で使う道

店頭に並ぶ仏壇用の道具類。青地に花の絵柄のあるものが一般的です。

具類は、青色で花の絵柄のある焼物が一般的で、これ以外の色や絵柄の道具を使うのはまちがいとする説もあるようです。ただし、これはたいして古くからの習わしというわけでもないようですから、気にしすぎる必要もないでしょう。

それから、焼物のウコールは、一度に大量の線香を焚くと、熱に耐えられずに突然ひびが入ったり割れたりすることもありますから、盆や正月、法事などに線香を供える方が多くおいでになるご家庭でしたら、耐熱性の高い真鍮《しんちゅう》などの金属でできたウコールをお使いになるのもよいでしょう。

ウコールは、沖縄では仏壇の道具のなかでもっとも重要視され、たとえ割れたり欠けたりしても、そう簡単に取りかえてはならないと考えられていますし、なかにはウコールが割れるのは不吉なしるしだと気にされる方もいらっしゃいますから、その意味でも事前の対策を講じておくに越したことはないと思います。

中段の両脇に置かれた一対の燭台。

仏壇を明るくするための道具

ろうそくを立てるための道具である燭台《しょくだい》は、一対（2本）そろえ、中段の湯のみの外側に置きます。ただし、仏壇が小さい場合や燭台が大きい場合には、中段に置くとろうそくの火が天井と近くなって危ないため、下段のウコールの両脇に置くとよいでしょう。ただ、沖縄では、燭台を仏壇に置かないご家庭もかなり多いようですから、必ずそろえるべき道具とはされていない地域もあるのでしょう。

ろうそくのかわりに、電気を使って明るくする方法もあり、灯篭《とうろう》やろうそくをかたどった仏壇用の照明器具も市販されています。なお最近では、ろうそくに見た目もそっくりで、点灯すると本物の炎のように光がゆらめく、ＬＥＤ電球を使った精巧な器具なども登場しています。

沖縄では、仏壇を明るくするため、内部の天井に蛍光灯を取り付けることが多いのですが、仏壇の中が部屋より明るすぎると、まるでお

（右）位牌が大きい場合、ハナイチを中段に置くこともあります。
（左）中段の中央に酒と水を供えた、最近よくみられる道具の配置です。

店のショーケースのようになり、おごそかな雰囲気がそこなわれてしまうようです。蛍光灯を使われる場合には、その点にすこしばかり配慮が必要でしょう。

近ごろでは換気扇も

また、近ごろは蛍光灯とともに、仏壇内部の天井に換気扇を取り付けてあるのも、よく見かけます。沖縄に多い鉄筋コンクリート造りの住宅は気密性が高く、とくにエアコンを作動させて戸や窓を開けられないときなどには、線香の煙を効率的に屋外へ排出できる換気扇は、とても便利なものです。

ただ、仏壇の前に座って拝むとき、見上げたところに換気扇があるのはあまり格好のよいものではありませんから、仏壇内部の天井の中央より手前側、ちょうどウコールを置く位置の真上あたりに取り付けると、さほど目立たなくてよいようです。

（右）ウチャトーを供えやすいよう、湯のみを下段に置いています。
（左）燭台を置かない場合の道具の配置です。

それから、現在市販されている盆提灯《ちょうちん》などは、ほぼすべて電気式になっていますから、仏壇の近くに電源をとるためのコンセントを確保することも必要です。住宅を新築されたり、和室の一部を改装して仏壇を置かれたりする場合は、コンセントの位置や数について、事前に施工業者の方とよく調整しておきたいものです。

造りつけの仏壇の場合でしたら、内部の左右どちらかの壁にコンセントを設けておくと、便利に使えるようです。

仏壇と道具とのバランス

近ごろは沖縄でも、ずいぶんと値の張る仏壇がつくられています。ただ、チャーギ（イヌマキ）などの高級な木材を使い、細かな彫物《ほりもの》で飾られた、何十万、何百万もする豪華な仏壇でも、その中に並べてあるのは、普及品の青い焼物のウコールにハナイチ、そして何かの景品にもらったようなガラスのコップ。これでは残念ながら、せっかくの仏壇もそれほど立派にはみえないものです。

服飾の世界と同じく、やはり一点豪華主義はあまり品のよいものではなく、仏壇と道具にもバランスというものが肝心です。それなりの価格の仏壇を求めるのでしたら、ウコールやハナイチを金属製のものにしたり、茶台《ちゃだい》(湯のみをのせる台)や盃台《さかずきだい》を木製の漆器にしたりと、道具類もそれに見合った質の高いものをそろえることをおすすめします。

それから、サイズのバランスも重要で、ウコールやハナイチ、湯のみなどは、いずれも同じ色柄でさまざまな大きさのものが市販されていますから、仏壇の大きさに合ったサイズのものを選ぶようにしましょう。

まずはきれいに保ちたいもの

どんなに豪華な仏壇でも、線香の灰があちこちにとび散り、位牌や道具はうっすらほこりをかぶり、ハナイチに挿したクロトンの葉は枯

かつて沖縄では仏壇に供える花といえばアカバナー（ブッソウゲ）が一般的でした。

れ、湯のみにはウチャトーの茶渋《ちゃしぶ》がこびりついたまま。これでは、なんとも心が寒くなります。また、記念品の置物や目覚まし時計、病院で処方された薬の袋、役所から届いた封書など、さまざまなものが仏壇に雑然と置かれているのも、あまり感じのよいものではありません。

仏壇の中やその周りは、日ごろのこまめな掃除とともに、できるだけ位牌とこれをおまつりするための道具以外は置かないようにして、つねに清浄さを保つよう心がけたいものです。

「祖先を敬《うやま》うチムグクル（心情）がいちばん大事なんだから、心さえあれば形式はどうでもいいんだよ」という方もおいでになりますが、位牌や仏壇、そこに置かれた道具類が、もともと目には見えないウヤファーフジ（ご先祖様）を敬い崇《あが》める心をかたちにしたものだということを知れば、日ごろから仏壇や道具類をきれいにととのえようという気持ちも、おのずとわいてくるのではないでしょうか。

お墓のはなし

お墓の構造の特徴

ウヤファーフジ（ご先祖様）の遺骨をおさめるお墓は、沖縄ではハカやウハカ（お墓）のほか、シンジュ、チカジュなどとよばれてきました。

沖縄のお墓には、ガマ（自然の洞窟《どうくつ》）や岩陰の前面を石積みなどでおおったもの、斜面などに横穴を掘ったフインチャー（掘込墓《ほりこみ》）とよばれるもの、平地に建てたものなどがありますが、いずれも納骨するスペースである墓室が地面より上に造られています。

これは、地面を掘りさげて造った「かろうと」とよぶ納骨スペースの上に墓石を立てた他県のお墓とは、決定的に異なる特徴で、そのため他

岩陰を利用して前面をふさいで造った墓。

県のお墓とはまったくといってよいほど、その外観も異なるのです。

大きさの理由

沖縄のお墓は、他県にくらべて大きいことも特徴です。これは、複数の家からなる門中、さらにはいくつかの門中の共同所有など、おもに血縁でつながった集団でひとつのお墓を造る、いわゆるムンチューバカ（門中墓）が多かったためで、集団が大きいほど多くの人を葬ることになるため、お墓も当然大きくなるわけです。こうした門中墓は、沖縄本島の南部を中心によくみられます（ただし、近ごろでは門中墓を使わずに、家族単位で新たにお墓を造る方もおいでのようです）。

また、かつて沖縄には洗骨《せんこつ》の風習があったことも、お墓の大きさと関係しています。洗骨とは、棺に入れてお墓の中におさめた遺体を、数年ほどたった時点でいったん取り出し、骨を洗い清める儀礼です。そのため、沖縄のお墓にはクヮンチェーバク（遺体をあお向けに寝

（右）丘陵に横穴を掘りぬいて造ったフインチャーの墓。
（左）切妻形の屋根のある破風墓。

かせ、ひざを立てた姿勢でおさめる長方形の棺）が少なくとも1つは置ける広さが必要でした。そして、洗骨の済んだ遺骨はジーシガーミ（厨子《ずし》甕《がめ》）とよぶ石や焼物の器に入れてお墓の中におさめましたが、火葬されない骨はほぼ原形をとどめているため、ジーシガーミは現在使われる火葬骨用の骨壺にくらべてかなり大型です。これをいくつもおさめるとなると、おのずとお墓も大きくなるわけです。

しかし、１９５０年代から60年代を境に火葬が広まるにつれ、棺を一時安置する大きなスペースは不要となり、ジーシガーミも小型の骨壺となって、お墓も小型化の傾向がすすんできました。

屋根の形による種類

沖縄のお墓は外形も他県とはかなりちがい、屋根の形によって次のような種類に分けられます。

ドーム状の屋根の形状が特徴的な亀甲墓。

①カーミナクーバカ（亀甲《かめこう》墓）

屋根が亀の甲羅《こうら》に似たドーム状になったお墓。カーミナクーとは「亀の甲」の意味で、もともと中国南部のお墓をモデルにしたものですが、沖縄に伝わると大型化して形状もかなり変化しました。また、独特の屋根の形を妊婦の腹部に見立てて「母体をかたどった墓」といった説もうまれました。

②ハーフーバカ（破風《はふ》墓）

屋根が切妻《きりづま》形になったお墓。ハーフーとは破風《はふ》のことで、切妻屋根などの側面にできる三角形の部分をいいます。もとは王家専用の形式とされていたようです。現在、沖縄でもっとも多く造られる家型墓も破風墓の一種です。

③ヒラフチバー（平葺《ひらふき》墓）

屋根が片流れ型になったお墓。ヒラフチとは平らに葺いた屋根という意味です。

片流れの平らな屋根をもつ平葺墓。

タナへの遺骨の並べかた

ただ、屋根の形はちがっても沖縄のお墓の中、いわゆる墓室のつくりはほぼ同じで、少なくとも大人が一人は入れる程度の広さがあり、四方の壁や天井は石やコンクリートで造られ、正面の奥に2、3段の階段状になったタナ（棚）とよばれる場所があり、ここに骨壺を並べます。

骨壺は、古いものから順にタナに並べますが、その順序は上段から並べていき、上段がいっぱいになれば中段、下段へと配置していきます。同じ段の中では、向かって右の端から左に向かって順次並べていく方法と、もっとも古い遺骨を段の中心に安置し、その向かって右、左の順に、外側に広がるよう世代順に並べる方法とがあります。ただし、新たに葬られる人の骨壺はジョーバーン（門番）といって、もっとも下手《しもて》にあたるタナの下段のいちばん左、あるいは下段の下などに安置し、次に遺骨が葬られてお墓を開ける際に、タナの所定の位置に移します。

基本的に、骨壺はタナの上段から下段にむかって世代順に並べてい

大規模な門中墓では、誰の遺骨かがわかるよう、骨壺を置くタナを区画して番号をふることもあります。

くわけですが、実際には親より先に子や孫が亡くなるケースなどもありますから、必ずしも上の世代から順序よく遺骨が葬られていくわけではありません。そのため、お墓の改築や補修などのタイミングをみはからい、葬られた順に並んだ骨壺を世代順に並べかえることもあります。

なお、かつては、夫婦や親子など何柱かの遺骨をひとつのジーシガーミにおさめることもありましたが、近ごろでは一人ずつ別々の骨壺におさめることが多いようです。

遺骨をまとめて骨壺は処分することも

門中墓など、多くの人々が共同で使っているお墓には、イチ、イキ（池）などとよぶ合葬《がっそう》（複数の遺骨を一か所にまとめて葬ること）用のスペースが造られたものがあります。こうしたお墓では、タナに並んだ遺骨のうち、古いものから順に骨だけをイチに移して合葬し、骨壺はお

多くのジーシガーミ（厨子甕）が納められた古い墓の内部。

墓の外で割って処分してしまいます。こうすれば、次々に新たな遺骨がおさめられてもタナが骨壺であふれることはなく、一つのお墓を長く使い続けることができるというわけです。

遺骨をタナからイチに移すタイミングは、故人の霊がカミアガイ（神上《かみあ》がり。神に昇格すること）すると考えられた三十三年忌のあととされることが多いようですが、お墓やそれを使う集団の規模、つまり葬られる人の数によって実際にはかなり差があり、大きな門中墓の多い糸満あたりでは、死後2、3年ほどで遺骨をイチに移しています。ただ、かつての風葬とちがい、火葬が主流になって遺骨のかさじたいがかなり減ったこともあり、近ごろは新築のお墓ではイチを造ることもほとんどないようです。

お墓の中への出入口

墓室の前面の壁の一部に、大人なら腰をかがめて出入りできる程度

石の板から金属製のドアに取りかえられたヒラチ。

の出入口を設け、ふだんはこれをヒラチ（あるいはフタイシ）とよぶ石の板を立ててふさいでおきます。

納骨などのためにお墓を開けるには、お墓を開けることをウヤファーフジ（ご先祖様）に知らせる合図の意味でヒラチを3回たたく所作をしたのち、ヒラチの上部にあるくぼみにバールなどの金具をひっかけ、少しずつ手前にずらしながら取りはずしていきます。この作業は、何人かの人手が必要なうえ、慣れていないとヒラチを倒して割ってしまったり、手足をはさんで負傷したりもしますから、十分に注意が必要です。そのため近ごろでは、開閉作業の楽なスライド式のヒラチも開発されていますし、ヒラチを石の板から金属製のドアに取りかえたケースもみられます。

お墓を開ける際のきまりごとなど

お墓を開ける際には、さまざまなきまりごとがありますが、なかで

墓口からあとずさりしながら出る人の背中をゲーンでたたき、けがれをはらいます。

もとくに重視されるのが、故人とソー（占術上の相性といった意味）の当たる人が作業をおこなうというものです。具体的には、故人の生まれ年の十二支から数えて7番目の十二支、いわゆる向かい干支《えと》にある人はソーが当たり最適（たとえば故人が未《ひつじ》年なら、墓を開ける人は丑《うし》年）、逆に故人の生まれ年と同じ十二支の人は不適といったものですが、実際のところこうした判断方法は地域や人によりさまざまです。さらには、新たに葬る故人ではなく、前回お墓に葬られた故人、いわゆるジョーバーン（門番）の人の生まれ年を判断基準とすることもあるため、こればかりは身内や地元のその道に詳しい方に確認しなければわからないものといえるでしょう。

そうしたこともあって、近ごろではヒラチを3回たたく所作だけを故人とソーの当たる身内の人がおこない、実際にヒラチを取りはずす作業は専門業者に依頼することも多くなりました。なお、お墓を開ける一連の作業は、身内の中でも男性のみでおこなうことが一般的です。

墓に置かれたゲーン。

入るときは頭から、出るときは尻から

お墓の中に入るときは、頭から先に入るようにします。多くの沖縄のお墓は、大人が腰をかがめるか、しゃがまなければ入れないような高さで墓口が造られていますから、前進で入れば自然と頭から入ることになるでしょう。お墓から出る際も、同じく腰をかがめるかしゃがんだ体勢になりますが、このときはあとずさりしながら墓口をくぐり、尻から先に外に出るようにします。これは、お墓の中においでになるウヤファーフジ（ご先祖様）に尻を向けるのは失礼にあたるといった意味によるものです。

お墓の中に人が入る際は、ゲーン（ススキの葉を3本から5本ほど束ね、先を結んだもの）を持った人を墓口の外に控えさせ、あとずさりして墓口から出てくる人の背中を軽くゲーンでたたく所作をします。これには、お墓の中に入った人の体についた死者のけがれをはらう意味があります。

墓口に向かって右側に線香を供え、ヒジャイヌカミを拝みます。

お墓の土地の神へのあいさつ

おもに沖縄本島の中南部では、お墓に行くと正面の墓口に向かってご先祖様を拝む前に、墓口に向かって右の隅に線香を供えて拝むしきたりがみられます。

お墓の右側には、お墓のジーチヌカミ（土地の神）がおいでになるとされ、これはヒジャイヌカミ（左の神）、あるいはたんにヒジャイ（左）などよばれます。お墓参りのたびに、まずヒジャイヌカミを拝むことには、神様の土地にお墓を建て、使わせていただいていることへの感謝と、これから墓前で行事をおこなうにあたってのあいさつの意味があります。

このヒジャイヌカミは、中国の后土神《こうどしん》の信仰にルーツをもつもので、日本では沖縄のほか、長崎県の一部にも同じようなしきたりが残されています。ただし、長崎では墓石に向かって右手に「土神」と書いた小さな碑を建てるのに対し、沖縄ではヒジャイヌカミを表すものはと

旧暦7月7日、タナバタの墓参り。

くに設けないのが普通で、墓口に向かって右側の適当な場所に線香を焚いて拝むだけです。

お墓参りは特定の日だけ

他県では、お盆や春秋の彼岸、故人の命日などにはお墓参りをするのがごく一般的なしきたりで、なかには自宅の近くにお墓があって、毎日お参りをする地域もみられます。また、故郷をはなれて暮らす方が、里帰りのたびにお墓参りをされるのも別段珍しいことではありません。

これに対し沖縄では、1月のジュールクニチー（十六日）、3月のシーミー（清明祭《せいめいさい》）、7月のタナバタ（七夕）といった年中行事には一族そろってお墓を掃除し、供え物をしてウヤファーフジ（ご先祖様）を拝みますが、こうした特定の行事にあたる日のほかは、できるだけお墓に足を運ぶことを避ける傾向がみられます。

そのため、沖縄では一般に「むやみにお墓参りには行くべきではな

本家と分家でお墓を並べて建てる場合、向かって右側に本家のお墓を建てます。

い」といわれることが多く、他県や外国にお住まいの方が久々に里帰りされたとき、実家の仏壇に手を合わせに行くことはあっても、他県のようにお墓参りをしたという話があまり聞かれないのです。

近ごろはやりの墓じまい

沖縄でも近ごろ、「墓じまい」という言葉がよく聞かれるようになりました。

墓じまいとは、お墓をしまう、つまり撤去することです。ただ、撤去とはいってもお墓じたいは取りこわして更地に戻しさえすればよいのですが、大きな問題となるのは、お墓の中におさめられた遺骨の行き先です。墓じまいをする場合、遺骨は自治体やとくに許可を得た民間の法人などが経営する合葬墓《がっそうぼ》や永代供養墓《えいたいくようぼ》に移すことが多く、これを改葬《かいそう》といっています。

近ごろは、沖縄でも墓じまいは年々増加していて、その背景には、

乳幼児が亡くなると、本墓の脇に仮墓を設けて葬るしきたりがあります。

生涯婚姻率や出生率の低下などの影響で身近にお墓を継ぐ人がいない、あるいはお子さんやお孫さんが県外など遠くに住まわれていて、将来的にお墓の管理がむずかしくなることが想定されるため、といった事情があるようです。これにくわえて、近年では「お墓やトートーメーを継ぐなんてわずらわしい」といった理由から墓じまいをする例もあると聞きます。

お墓の中へ位牌をおさめることも

墓じまいのほか、近ごろはお墓の中にトートーメー（位牌）をおさめる方もおいでになります。これは、墓じまいに対して「仏壇じまい」などといわれ、継ぐ人のいない位牌を処分するためにおこなうほか、お墓の中に位牌をおさめれば、お墓と位牌を同時に拝めてご先祖様の供養を簡素化できるという理由でおこなう方もおいでのようです。

位牌をお墓におさめる場合、家単位で所有するお墓でしたら、家族

屋根の上に墓碑をのせた墓は、沖縄式と日本式の折衷型ともいうべきもので、近年さかんにつくられる形式です。

の意見さえまとまればすぐにでも実行は可能ですが、多くの家が共同で使っている門中墓の場合は、後日トラブルとなるのを防ぐため、門中の皆さんの同意を得たうえですすめる必要があるでしょう。

ただ、今のところはお墓に位牌をおさめることを許可しない門中がほとんどのようですから、実際に門中墓に位牌をおさめるのはかなりハードルが高いといえます。門中墓にご先祖様の遺骨をおさめている家庭が仏壇じまいをする場合は、寺院や民間の専門業者などに依頼し、永代供養をしてもらうのが、現実的な選択といえましょう。

変わりゆく沖縄のお墓

古い沖縄のお墓は、人里離れたさびしい山の中や崖の斜面などに造られ、しかも日ごろはほとんど足を踏み入れないため草木は茂り放題、お墓参りはハブに遭遇する危険と隣り合わせ、というものが多いのが実情です。

平地に造られる家型墓は、現在の沖縄ではもっとも一般的な形式です。

近ごろは沖縄でも、まるで公園を思わせるような瀟洒な管理型の霊園にずらりと立ち並ぶ、御影石《みかげいし》造りの比較的小型のお墓がさかんに売り出され、都市部に住む若い世代を中心に人気のようです。他県の霊園経営のスタイルを取り入れた管理型霊園は、沖縄県内でもこの何十年かで各地につくられるようになり、炎天下での過酷な草刈りやハブの危険もないうえ、明るく清潔、駐車場も完備のお墓でスマートに行事ができるようになりましたから、沖縄の人々のお墓に対するイメージも、今後は大きくかわっていくものと思われます。

ただ、こうした最新式の管理型霊園に建つお墓も、ほぼすべてが納骨するスペースである墓室は地面より上に造られ、外観も他県にはない家型墓が主流です。お墓を造る場所や大きさなどは、現代の人々の考えかたや生活のスタイルに即してかなりかわってきたとはいえ、基本的な構造や形は、今なお沖縄独特のスタイルが脈々と受けつがれているのです。

ビンシーのはなし

機能性の高いウグヮンの道具セット

ビンシーとは、酒（泡盛）を入れた一対の瓶と盃《さかずき》、ハナグミ（生米）、ヒラウコーやシルカビ（白紙）など、最低限これだけそろえればウグヮンをすることができるという品々を、ひとまとめにしておさめることのできる道具です。

また、供え物がひとまとめにおさめられるというだけでなく、ふたを取り、盃を盃台にのせて酒を注ぎ、取り出したシルカビの上にヒラウコーをのせたものと一緒に拝所の前に置けば、これでお供えの準備がすっかりととのい、すぐにウグヮンがおこなえるようになっています。そのため、携帯に便利なうえに機能性の高いウグヮンの道具セットとして、沖縄本島中南部地域を中心に普及し、多くの方々にたいへん重宝されています。

身の側面には紐通しの孔

ビンシーという道具について、まずはその基本的なつくりをご紹介しておきますと、外観はふたと身の部分からなる横長の四角い箱型をしています。その大きさは、現在ごく一般的なもので、おおよそ縦15センチ、横20センチ、高さ15センチほどです。

木製で、スギやセンダンといった材の板がよく使われるほか、近ごろではキリなどの軽い木で作ったビンシーも出回っています。やや赤みがかった茶色に塗装したものが多いのですが、そのほかに、スンチーヌイ（春慶塗《しゅんけいぬり》）といって透明度の高い塗料を使い、木目が見えるように仕上げたものなどもあります。

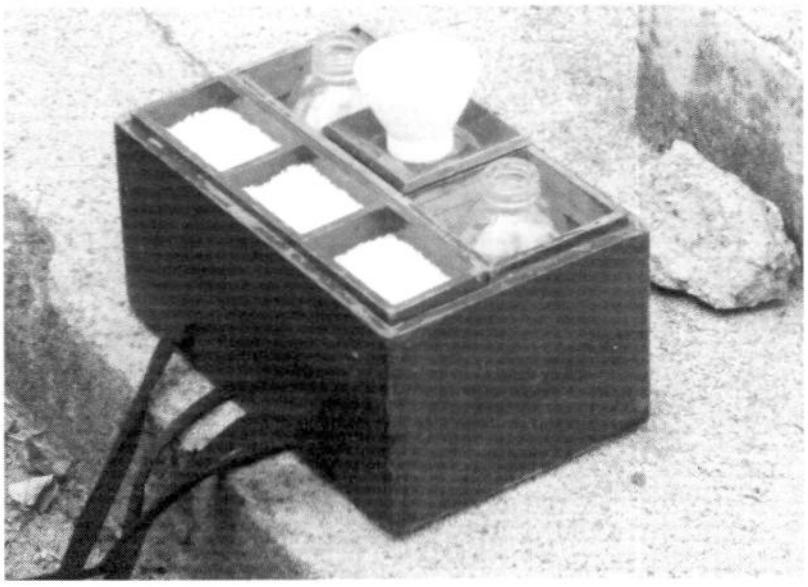

身の側面の下側の孔に紐が通されたビンシー。

また、案外気がつかないものですが、身の側面の底に近い部分には、前後にそれぞれ2つずつ孔があけられています。これはもともと紐《ひも》を通すための孔で、ここに通した紐をふたの上で結ぶと、ビンシーを片手で提げることができ、持ち運びにたいへん便利です。ただ、近ごろはビンシーを大事に風呂敷に包んだり、袋におさめたりして持ち運ぶ方が増えたこともあり、実際にこの孔に紐を通して使うことは少なくなっているようです。

一対の酒瓶と盃を収納するスペース

一般的なビンシーは、縁《ふち》の高いふたを取ると、身の内部は仕切りがほどこされ、上から見ますと、53ページの図のように4つの部分に区切られています。このうち、2つ（図の①と②の部分）は、酒を入れた瓶を1本ずつ立てておさめるスペースで、市販の徳利《とっくり》などがほぼすき間なくすっぽりとおさまる寸法に作られ、持ち運ぶ際に倒れて割れた

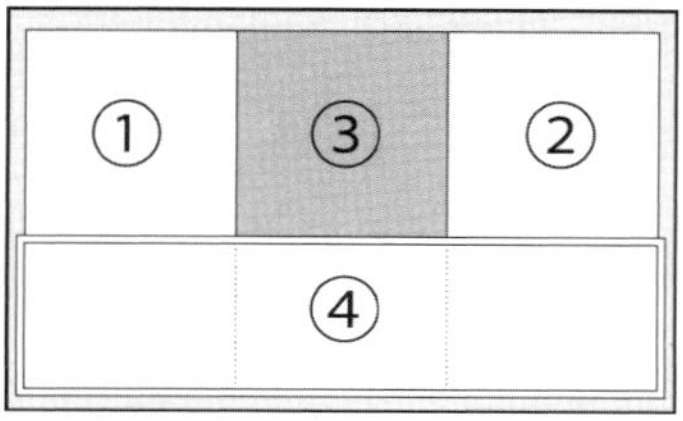

ビンシーの中におさめる道具の配置。

り、中の酒がこぼれたりしないよう、工夫されています。

瓶をおさめる2つのスペースの間には、ほぼ正方形の小さな皿のような形状のふたが付いたスペース（図の③の部分）があって、このふたを取りはずすと、中には盃《さかずき》がおさめられるようになっています。このスペースは、盃の収納とともに盃を置く台としての役割もあり、ウグワンの際にはふたを取って盃を出し、再びふたをしてその上に盃をのせます。そして、両脇におさめられた瓶から盃へと酒を注ぎ、供えるというわけです。

米などを入れる長方形の浅い小箱

4つに区画されたうち、もっとも大きい横長のスペース（図の④の部分）には、横に長い長方形をした底の浅い小箱が、このスペース全体を覆《おお》うふたのように、ぴったりとはめ込まれています（このようなつくりの箱は掛子《かけご》とよばれます）。

身の底に近い部分に、ヒラウコーなどを収納できる浅い引出しの付いたビンシー。

この掛子は、図に点線で示したように3等分に仕切られ、ハナグミやマース（塩）などの供え物を入れる器の役割をはたすものとなっています。掛子は、持ち上げると取りはずすことができ、その下のスペースにはヒラウコーやシルカビが収納できるようになっています。

なお、身の底に近い部分に浅い引出しが付き、そこにもヒラウコーなどが収納できるビンシーもありますが、近ごろはこのような手の込んだつくりのものは、ほとんど市販されていないようです。

3つに仕切られたスペースに入れるもの

ビンシーの中に組み込まれた底の浅い長方形の掛子は3つに仕切られていますが、「この3つのスペースにはそれぞれ何を入れるのか」というご質問を、しばしば頂戴します。実はこのようなご質問が多いのは、この3つの仕切りの中に入れるものが家庭や人ごとに少しずつちがうためで、その代表的なパターンをはおおむね次のようになります。

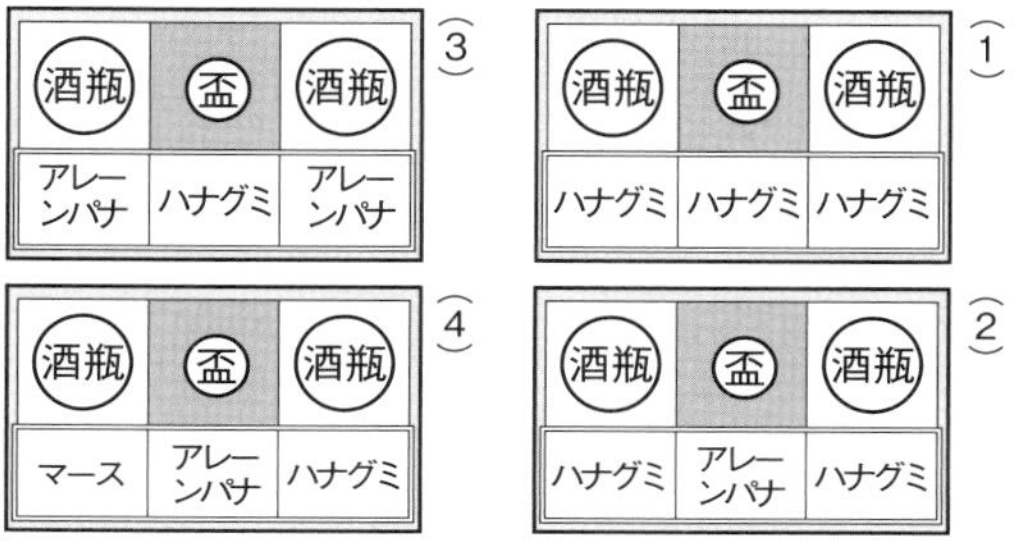

ビンシーの掛子に入れる供え物のおもなパターン。

（1）3つのスペースともハナグミ（生米。洗わないもの）を入れる。

（2）左右のスペースにはハナグミ、中央にはアレーンパナ（洗い米。生米を7回水洗いしたもの）を入れる。

（3）左右のスペースにはアレーンパナ、中央にはハナグミを入れる。

（4）それぞれのスペースに、マース（塩）、アレーンパナ、ハナグミを入れる。

洗うか洗わないかで異なるハナグミの意味

たんにハナグミといえば、洗わない米を指すことがふつうですが、とくに洗っていないことを強調する場合はカランパナ（「カラ」は乾いているという意味で、水洗いしないことを示します）ということもあります。

これに対し、水洗いしたアレーンパナは一度かけた願いを取り下げる際など、特別な目的のある祈願に供えるとの説明があるいっぽう、洗わない米を雄花《おばな》、洗った米を雌花《めばな》といって一対の供え物と考え、内容にかかわらずウグヮンにはつねに両方を供える方も多く、人ごとにその意味づけにはかなり差がみられます。

（1）のパターンでは、アレーンパナは特別な意味をもつウグヮンに供えるという考えにもとづき、通常は洗わない米のみを用いているのでしょう。

一方、ハナグミとアレーンパナの両方を供える（2）と（3）は、それぞれの量が異なりますが、たとえば（3）の供えかたですと、中央のハナグミは種子、左右のアレーンパナは収穫物を意味し、蒔いた種が倍の収穫を生みだすことをあらわし、豊穣を意味するとの説明がなされるようです。また（4）は、掛子が3つに仕切られているのは、それぞれ異なるものを入れるためという解釈によるものと思われます。

中におさめる瓶の選びかた

ビンシーには、中におさめる道具として、酒を入れる瓶一対（2本）、盃《さかずき》1個が必要となります。

酒を入れる瓶は、専用の白無地でふたの付いた小型の徳利《とっくり》が、県内の仏具店やホームセンターで売られていますので、それをお使いになるとよいでしょう。そのほか、市販のふつうの徳利を使われてもかまいませんが、一度ビンシーにおさめてウグヮン（祭祀儀礼）の道具にするときめた瓶は、日常の食器としては使わないようにします。

なお、ビンシーにおさめる瓶は、太すぎると仕切りの中におさまらず、高すぎるとビンシーのふたができませんから、選ぶ際にはその大きさに配慮が必要です。多くが手作りであるビンシーは、1点ごとに寸法に若干の差があるため、ビンシーを購入される際には、きちんとおさまる瓶や盃をあわせて求められるとよいでしょう。また、すでにビンシーじたいはお持ちで、中の瓶や盃だけを買いかえる場合も、念

キャップ付きの日本酒のガラス瓶は、ビンシーにおさめる瓶として重宝されています。

のためお使いのビンシーをお店に持参されることをおすすめします。

酒をこぼさないため瓶にはふたを

持ち運びの際に中の酒がこぼれないよう、ビンシーにおさめる瓶にはふたをしておきましょう。専用のふた付きの徳利をお使いでない場合は、アルミホイルやビニール、布、紙などを丸めたものや、他の瓶のふたを転用するなど、皆さんさまざまにオリジナルのふたを工夫されているようです。また、ワインのコルク栓をカッターナイフなどで削り、瓶の口に合わせたふたを作るのもよいでしょう。

市販の日本酒の1合（180ミリリットル）入りのガラス瓶を、ビンシーの中におさめる瓶として利用される方もたいへん多いのですが、これは、この瓶の太さがちょうどビンシーの仕切りにきっちりおさまり、アルミ製のスクリューキャップが付いていて、酒がこぼれにくく扱いやすいためです。

酒は、左右2本の瓶から1つの盃に注いで供えます。

なお、ビンシーにおさめた瓶に酒を詰める際、酒の量を瓶の半分程度にとどめておくことも、持ち運ぶ際に酒をこぼさないための大切なポイントです。

盃は大きさに気をつけて選ぶ

ビンシーの中には、一対（2本）の瓶とともに1個の盃をおさめます。黒や朱に塗られたプラスチック製の専用の盃が県内の仏具店などで売られているほか、陶磁器の盃なども一般によく使われますが、形状や色、材質などにはとくにきまりはありませんから、どういったものを選ばれてもかまいません。

ただ、盃を選ぶ際に十分留意していただきたいのはその大きさで、ビンシーの内部に設けられた盃を収納するスペースにおさまり、盃台となる正方形の皿状のふたの上に、ぐらつかずきちんとのるかを確認しましょう。また、野外に持ち出して使うものですし、ウグヮンをす

沖縄本島北部や八重山地域などでは一対の酒瓶や米を膳にのせて供えることが多く、箱型のビンシーはさほど普及していません。

るたびに酒を注いでこぼすという所作をくり返しおこなう道具ですから、丈夫で持ちやすいことも重要です。なお、瓶と同じく、一度ビンシーにおさめてウグヮンの道具にするときめた盃は、やはり日常の食器としては使わないようにしましょう。

一対の瓶に対して盃は1個

ひとつのビンシーにおさめる盃は原則として1個で、市販の一般的なビンシーの盃台の部分が、ちょうど盃が1個だけのる大きさに作られるのもそのためです。

ただし、近ごろでは、ひとつのビンシーに何個もの盃をセットし、一対の瓶からすべての盃に酒を注ぎ、「この盃は家族の○○からの分です」などといって供える方もおいでになります。ただ、沖縄のウグヮンでは伝統的に、酒（泡盛）を供える際の基本単位は盃1杯ではなく瓶一対（2本）とされてきましたから、一対の瓶に入った酒はたと

複数の門中や家が合同でおこなうウグヮンでは、それぞれビンシーを持参します。

え5個の盃に注ぎ分けても1人分（家のビンシーであればその家の主人からの分）でしかなく、家族5人からのお供えとはならないようです。

一対の瓶に複数の盃をセットする供えかたは、ウグヮンに関心の高い方や、その道の専門家の指導を受けた方などの間ではちょっとした流行のようですが、伝統的な供え物の形式からみますと、このウグヮンがウカミガナシー（神様）に通ずるかは、いささか疑問といわざるを得ません。これは、他者からもらった線香でウグヮンはできないとされるのと同じ理屈で、つまり個別に酒を供えたい場合には盃1個ではなく、それぞれに瓶一対の用意が必要というわけです。

ビンシーの大きさと色

ビンシーの多くは、縦15センチ、横20センチ、高さ15センチ程度に作られていますが、これよりひとまわりほど大きなものもあります。大型のビンシーは門中のムートゥヤー（宗家）などの特定の家や、タ

近ごろでは仏具店のほか、ホームセンターでもビンシーを購入できます。

カウマリ（霊的な資質の高い人）の人などが使う特別なもの、格の高い道具と考える傾向があるようです。

市販のビンシーは、赤みの強い茶色に塗られたものがもっとも多く、そのほか、黒に近い渋い色味のもの、木目が見えるよう透明に近い塗料で仕上げたものなどもみられます。また、近ごろでは草花の絵柄などで飾った変わり種も登場していますが、ビンシーの色柄による使いわけや意味付けなどはとくにありませんから、好みでお選びになるとよいでしょう。

なお、現在市販されているビンシーの価格は、一般的な大きさのもので県産品ですと1万円前後、中国やベトナムといった外国製のものなら5、6千円ほどといったところです。ただし、とくに大型のものや、柄入りといった特殊なビンシーになると数万円というものもあります。

ふたと身に紋の入ったビンシー。

紋の有無

柄入りを変わり種と申しあげたとおり、ふつうビンシーには文様は施されず、何か描くにしてもふたと身に紋を入れる程度です。ビンシーの紋については、「本家のビンシーには必ず紋が入る」「紋のないビンシーでウグヮンをしても願いは通じない」といった説もあるようですが、もともと沖縄では家紋を用いる習慣じたいが一般的ではなかったため、ビンシーに紋を入れることもそう多くはなかったでしょうから、これらは根拠のない俗説と考えて差しつかえないでしょう。

ウタキ（御嶽）やカー（井戸や湧き水）などの聖地を訪れますと、尚王家のヒジャイグムン（左《ひだり》三《み》つ巴《どもえ》）や、それを少しアレンジした紋の入ったビンシーをたずさえた方をお見かけすることがあります。ただ、こうしたビンシーの紋の多くは、お持ちになっている方の家紋ではないようで、「王家の紋を入れたビンシーを持つように」と霊的な啓示を受けたという方もあるようですし、「紋のないビンシーではウグヮ

糸満市糸満のシーミー（清明祭）。膳型、箱型両方のビンシーが使われています。

ンが通らない」との説を受け、適当な紋を入れたビンシーをお使いの方もおいでのようです。

自家の紋がないため、適当な紋を入れるというのは、沖縄では女性の黒留袖《くろとめそで》にほぼ例外なく「五三桐《ごさんのきり》」「上《のぼ》り藤《ふじ》」のいずれかが入っているのと同じようなものです。

ビンシーをめぐる俗説いろいろ

近ごろ、「ビンシーはウグヮンの実印」という説明がよく聞かれます。ただ、役所に届け出た印鑑を実印とする印鑑登録の制度は、明治以降にできたものですから、この説はさほど古くからのものでないことは確実です。おそらく、ビンシーも実印も大事に扱い、親子や兄弟の間柄でも貸し借りをしてはならないといった共通点から出た一種のたとえ話で、「実印」という言葉じたいに、たいした意味はないようです。

また、ビンシーはウグヮンの道具の中でもとくに格が高いといっ

膳型のビンシーは、供え物をのせる膳と箱型のビンシーとの過渡期型ともいうべき道具です。

た説明もよく聞かれます。しかし、酒（泡盛）とハナグミ（精白した米）を供える道具としては、一対の瓶、盃、ハナグミを盛った器をそれぞれ丸盆や膳の上にのせたものが正式で、ビンシーはこれらを一つの箱にコンパクトに収納した簡易式、携帯用のウグヮンセットとして考え出された道具ですから、元来けっして格の高いものではありません。

　こうしたビンシーをめぐる俗説の数々は、最近になってユタなどウグヮン界のプロの方々が唱えはじめたものと思われますが、その浸透ぶりから、ビンシーがいかに一般に普及し、重視される道具となっているかが、たいへんよくわかります。

ビンシーを購入する時期

　ビンシーについて、「買うのに適した時期や、よい日取りはあるのでしょうか」といったご質問もよくお受けします。購入する日まで気にされる方がおいでになるのも、この道具が特別視されていることを

膳に酒やハナグミをのせたものは、近ごろでは「仮のビンシー」などとよばれます。

よく示していますが、ビンシーはもともと供え物の酒や米を入れるための道具にすぎませんから、必要になったときに随時お求めになってかまわないでしょう。たとえば、結婚などで新たに家庭を構えるようになった際、あるいはヒヌカンを仕立てたり、位牌をまつったりするようになったタイミングで購入されればよいかと思います。

ビンシーのない場合、酒瓶と盃、ハナグミを膳や盆にのせてウグヮンをおこないます。近ごろはこのような供えかたを「仮のビンシー」とよぶことが多いのですが、実はむしろこちらのほうが正式なかたちに近いものですから、ビンシーにくらべて格式の面で劣るといったことはまったくありません。

ですから、酒や米をのせた膳を持ち運ぶことに別段不便をお感じにならないようでしたら、あえてビンシーを用意される必要はないことを、念のため申し上げておきたいと思います。

沖縄の供え物あれこれ

ハナグミ

ハナグミは、ンパナグミやミハナともよばれ、精白した米、いわゆる生米を神仏や祖先への供え物とするときのよびかたです。古くからハナグミは「花米」と書きあらわされますが、この「花」は美しい字をあてたもので、「ハナ」は収穫したての初物、最初のものを意味し、「はなから（最初から）」という日本語と同じ系統のことばです。また、ンパナグミは御花米、ミハナは御花と書き、いずれもハナグミに「御」を冠した丁寧な言いかたです。

収穫したばかりの穀物を神々に供えて豊かな実りに感謝する習俗は、宮中祭祀の新嘗祭《にいなめさい》をはじめ全国各地にみられますが、「ハナ」の語から、ハナグミもこれらと同じ意味をもつ供え物であることがわかります。

ハナグミは、生米をそのまま使う場合と、洗って使う場合とがあります。たんにハナグミやミハナというときには洗わない生米を指しますが、洗っていないことを強調して、カラミハナ、カランパナ（「カラ」は乾いているという意味）などとよぶこともあります。一方、洗った米はアレーンパナやアライミハナ（いずれも「洗い御花」の転訛です）、またはアレーグミ（洗い米）といい、生米をざるに入れて真水で7回洗い、よく水を切ってから布巾《ふきん》などの上に広げて乾かしたものを供えます。ナナシルヌミハナとよぶ方もおいでになり、これは「7回洗ったハナグミ」という意味です。なお、ハナグミを洗った水は、人の踏まない場所に捨てなければならないとする地域もあるようです。

また、供える量によって、一盛りが9合（1・35キログラム）ならクンゴーミハナ（九合御花）、3合（450グラム）ならサンゴーミハナ（三合御花）というよびかたもあり、クンゴーミハナは格式が高く大きな儀礼の供え物、サンゴーミハナはそれにくらべると略式とされます。正式には9合、3合が軽い供え物とされることを考えると、ビンシーの中の小さな掛子に入れたハナグミはごくわずかな量ですから、ひじょうに簡略な供え物ということができましょう。

ユンヂのはなし

活気を帯びるユンヂチセール

なんらかの大きな事業をはじめるとき、あるいは人生のさまざまな節目に際し、縁起をかつぎ、日取りの善《よ》し悪《あ》しに気を配るのは世の常です。

沖縄では、お墓の新築や改修、仏壇やトートーメー（位牌《いはい》）の購入、修繕などはユンヂチ、すなわち旧暦のうるう年におこなうのがよいといわれ、「お墓や仏壇を新しくするなら、ユンヂチに」という考えは、今なおかなり根強いものがあります。

こうしたニーズに応え、旧暦のうるう年になると、県内各地の分譲墓地や仏壇店にユンヂチセールの看板やのぼりが掲げられ、「今年はユンヂチです」といった新聞やテレビ広告もひんぱんに出されるなど、関連業界による宣伝活動もさかんにくり広げられます。

ただ、沖縄ではユンヂチがウグヮンの世界では特別な年と位置づけられて関心の高いわりに、実際にはその意味やしくみの詳しいところ、そしてユンヂチにお墓や仏壇を購入、修繕する場合には具体的にどのようにすすめればよいかといった点については、案外よく知られていないように思います。

ほんもののユンヂチは1か月のみ

およそ4年に一度訪れる新暦のうるう年は一年が366日、通常の年より1日増えますが、旧暦のうるう年の1年は13か月で、通常の年にくらべて1か月も多く、日数にすると384日前後となることをご存じでしょうか。

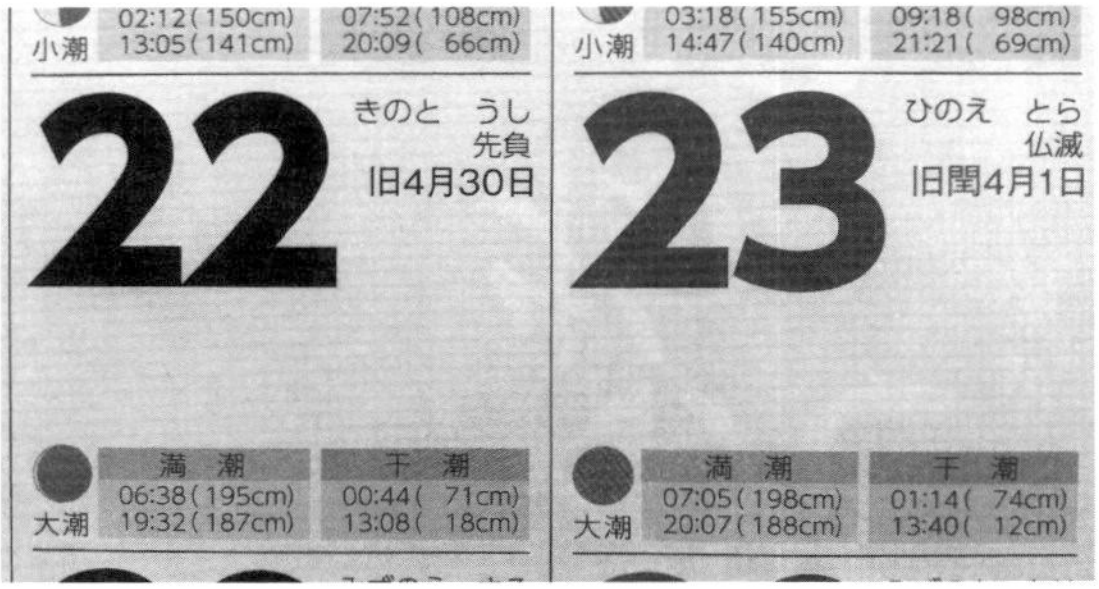

２０２０（令和２）年の旧暦はシングヮチターチャーのうるう年で、４月30日の翌日は閏４月1日となっています。

旧暦のうるう年で、通常より増えた1か月を「うるう月」といい、沖縄では、ウルヂチ、ユンヂチなどとよばれます（ウルヂチは「うるう月」、ユンヂチは「寄《よ》り月」の転訛とされています）。近年では、ユンヂチという場合、旧暦のうるう年を指すことが多いのですが、「ヂチ」が「月《つき》」の転訛と知れば、本来は「うるう月」を意味することがわかります。ちなみに、うるう年には「ウルドゥシ」などといいます。

２０２０（令和２）年のカレンダーを見ますと、新暦の5月23日から6月20日までは、旧暦が「閏《うるう》4月」となっていて、この「閏」のついた月がうるう月です。つまり、２０２０年の例でいえば、本来のユンヂチはこの29日間のみ、ということになるわけです。

新しい暦と旧い暦

旧暦のうるう年についてご説明するにあたり、まずはその前提となる、新暦と旧暦についてふれておきたいと思います。

現在、沖縄を含め、日本で公式に、そしてもっとも日常的に使われるカレンダーは、新暦や太陽暦《たいようれき》とよばれますが、もう少しくわしく言いますと、これはいくつかある太陽暦のうち、ヨーロッパ発祥の「グレゴリオ暦《れき》」にもとづき作られたものです。

日本で公式に新暦を使うようになったのは、１８７３（明治６）年のことで、明治維新をはたして間もなく、欧米社会を中心とする先進の文化の導入によって、急速に近代化を図るべく、世界標準のカレンダーともいうべき太陽暦への切りかえが断行されました。

そしてこの明治の改暦にともない、それまで長く使われてきた太陰《たいいん》太陽暦《たいようれき》は「旧《ふる》い暦」、すなわち旧暦とよばれるようなったのです。

沖縄では今なお現役の旧暦

旧い暦とよばれ、明治の改暦後は公式に使うことはなくなったものの、今なお沖縄では、折目節日《ウユミシチビ》（年中行事）をはじめ、慶事、弔事の

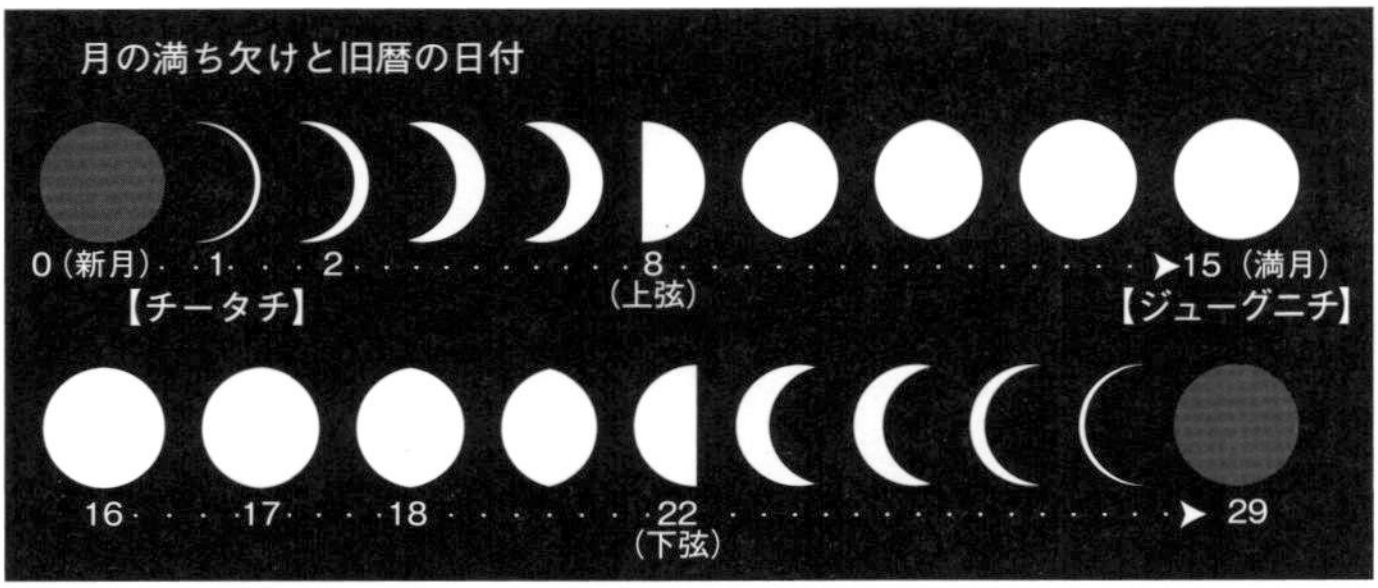

日取り、占いなどには旧暦を用いることが多いため、「ウチナーグユミ（沖縄の暦《こよみ》）」ともよばれるほどです。

たとえば、数ある年中行事のなかでも、もっとも盛大なもののひとつであるシチグヮチ（盆）は、ほぼ県内全域で旧暦7月の13日から15日におこなわれ、近年では行事名としても、旧暦の盆を意味する「旧盆」がすっかり定着しています。そのほか、あの世の正月とされるジュールクニチーの1月16日、中秋の名月のもとで綱引きや獅子舞を催すジューグヤーの8月15日など、折目節日の多くは、現在もおもに旧暦でおこなわれています。

沖縄では、「カレンダーに旧暦が併記されていないと、行事の日を確認するのにとても困る」といった話があちこちでよく聞かれますが、これも、旧暦が今なお沖縄の日々の暮らしには不可欠な、現役の暦であることのあらわれといえましょう。

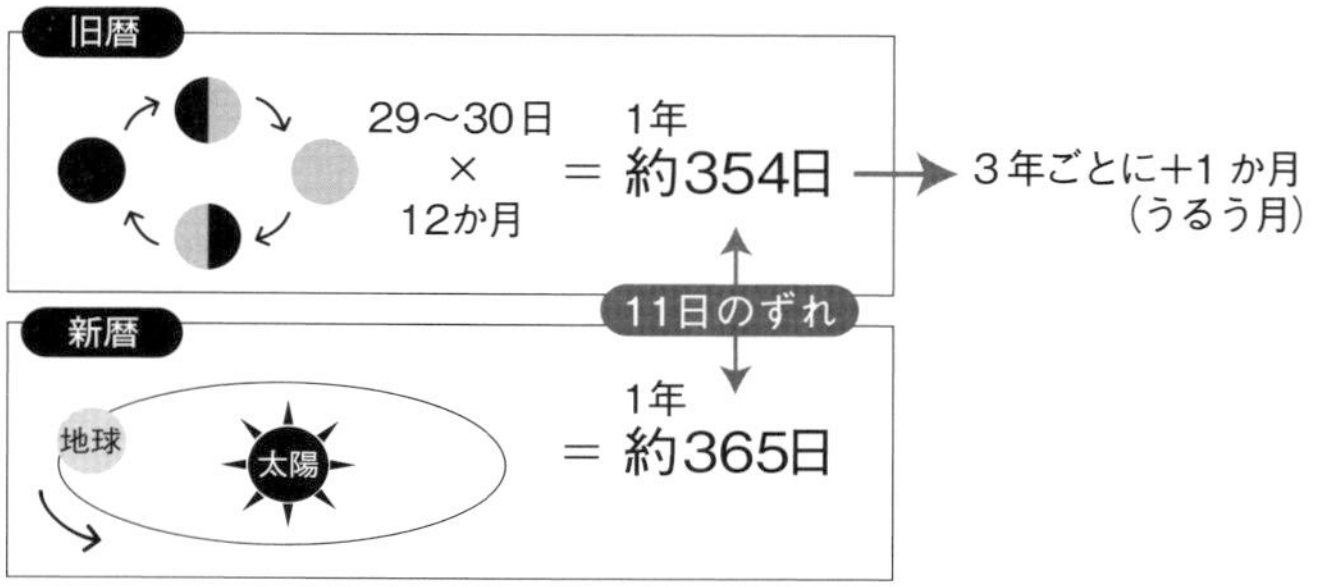

新暦、旧暦のしくみのちがい

うるう年が通常の年より1日多い新暦と、1か月も多くなる旧暦、そのしくみはどのように異なるのでしょうか。

まず新暦ですが、これは太陽暦といわれるように、地球が太陽の周りを1周するのにかかる期間（公転周期《こうてんしゅうき》）を1年として作られます。ただ、実際の公転周期は365・24日と端数があるため、平年《へいねん》（うるう年以外の年）は365日で1年とし、端数が1日分積み重なるたび、おおむね4年ごとに「うるう日」の2月29日を設け、1年を366日にして誤差を修正するのです。

いっぽう、太陰太陽暦《たいいんたいようれき》といわれる旧暦は、一般に月の満ち欠けで作る暦といわれるように、月が地球を1周する期間（朔望月《さくぼうげつ》）、つまり、新月から次の新月までを1か月、これが12回で1年として暦が組み立てられます。ただ、朔望月にも約29・53日と端数があるため、1か月30日の月と29日の月を交互に配置し、平年は1年が354日となります。つまり、旧暦では、1年が新暦とくらべて11日ほど短くなるわけです。

季節をあらわす二十四節気

太陽暦では7月は夏、12月は冬というように、毎年同じ月におおむね同じ季節が訪れますが、これは暑さや寒さといった気候の変化が、地球と太陽との位置関係で生ずるためです。しかし、月の満ち欠けは気候と連動しないうえ、朔望月12回の1年は太陽暦より11日も短いため、月の満ち欠けだけで暦を作り続けると、やがては7月が冬、12月が夏という年も出てくることになります。

これを防ぐため、旧暦では朔望月をベースにしながら、中国発祥の太陽暦の一種である二十四節気《にじゅうしせつき》（75ページの表を参照）を使い、暦に季節が反映されるよう補正をおこないます。旧暦を太陰太陽暦《たいいんたいようれき》といい、月を示す「太陰」とともに「太陽」の語が並べられるのは、朔望月と

二十四節気

季節	旧暦の月	節気名	日本語よみ	沖縄語よみ	新暦の日付
春	1月	立春	りっしゅん	リッシュン	2月4日ごろ
		雨水	うすい	ウシー	2月19日ごろ
	2月	啓蟄	けいちつ	ムシウドゥルク	3月5日ごろ
		春分	しゅんぶん	シュンブン	3月21日ごろ
	3月	清明	せいめい	シーミー	4月5日ごろ
		穀雨	こくう	ククウ	4月20日ごろ
夏	4月	立夏	りっか	リッカ	5月5日ごろ
		小満	しょうまん	シューマン	5月21日ごろ
	5月	芒種	ぼうしゅ	ボーシュー	6月6日ごろ
		夏至	げし	カーチー	6月21日ごろ
	6月	小暑	しょうしょ	クーアチサ	7月7日ごろ
		大暑	たいしょ	ウーアチサ	7月23日ごろ
秋	7月	立秋	りっしゅう	リッシュー	8月8日ごろ
		処暑	しょしょ	トゥクルアチサ	8月23日ごろ
	8月	白露	はくろ	ハクルー	9月8日ごろ
		秋分	しゅうぶん	シューブン	9月23日ごろ
	9月	寒露	かんろ	カンル・カンルー	10月8日ごろ
		霜降	そうこう	シムクダル	10月24日ごろ
冬	10月	立冬	りっとう	リットゥー	1月7日ごろ
		小雪	しょうせつ	クーユチ	11月22日ごろ
	11月	大雪	たいせつ	ウーユチ	12月7日ごろ
		冬至	とうじ	トゥンジー	12月21日ごろ
	12月	小寒	しょうかん	シューカン・クービーサ	1月5日ごろ
		大寒	だいかん	デーカン・ウービーサ	1月21日ごろ

二十四節気のふたつを組み合わせて作るためです。

その補正の方法は、ごく簡単にいいますと、ベースとなる朔望月による1年（354日）と、季節をあらわす二十四節気（365日）の1年との差（11日）が1か月分積み重なるたび、おおむね3年ごとに「うるう月」を設け、1年を13か月（384日）にするというものです。つまり、暦の進みが季節より1か月早くなるたびに余分の1か月を挿入し、一気につじつまを合わせるのが、旧暦のうるう年のしくみというわけです。

複雑なしくみのユンヂチ

旧暦では、暦の月と季節がずれないようにするため、おおむね3年に一度うるう月、すなわちユンヂチが設けられます。うるう月のために1年が13か月となる年が、旧暦のうるう年です。

ただ、うるう月のしくみは少しばかり複雑で、単純に12月のあとに

13月を作るのではなく、1年12か月のうちいずれかの月をくり返すかたちで設けられます。そして、どの月をくり返すかは、朔望月《さくぼうげつ》と二十四節気《にじゅうしせっき》を使ったいくつものルールをもとにきめられ、年によって異なります。

うるう月には月名に「閏《うるう》」を冠し、くり返された月であることを示します。たとえば4月をくり返す年でしたら、うるう月は「閏4月」とよび、月の並びは4月、閏4月、5月の順になります。また、沖縄では「シングヮチターチャー」「シングヮチターチー」（いずれも「4月がふたつ」の意味）というように、くり返す月名でうるう年を表現することもあります。

ユンヂチはヒーナシ

ところで、沖縄でユンヂチが重視される大きな理由に、「ヒーナシ（日なし）」という考えかたがあります。ヒーナシとは、とくに日を選ぶ必要がないという意味で、お墓や位牌を新たに仕立てたりつくりかえたりする場合、ふだんならユタやサンジンソー（三世相）など、その道に精通した方にうかがいを立てて日をきめますが、ユンヂチの間にかぎってはその必要がなく、いつおこなっても差しつかえないとされてきました。その理由は、臨時的に設けられ、いわば余分の月であるうるう月は、通常の12か月のように暦の吉凶を判断する対象とならず、そのため、この1か月間には日の良し悪しがない、などと説明されています。

しかし近ごろでは、こうした意味が拡大解釈され、「ユンヂチは余分の月なので、この期間中は神様の目も届かない」といった、スピリチュアルな意味づけがずいぶんと広まっているようで、本来は日を選び慎重にすすめねば災いがあると恐れられるようなことも、ユンヂチに済ませればすべて見逃してもらえるといった、まるでユンヂチを一種の無礼講のようにとらえた説明にまで発展をみているようです。

お墓の販売業者の「今年はユンヂチ」と書かれたのぼり。

現代的なユンヂチ期間の拡大

本来、ユンヂチとは「うるう月」をさす言葉ですし、余分の月なので日の良し悪しはない、との意味からしても、お墓や位牌を新たに設けたりつくりかえたりする場合、日取りを気にしなくてよいのは、正確にいえばうるう月1か月間かぎりということになります。

しかし、分譲墓地や仏壇店の宣伝文句に「今年はユンヂチです」とあるように、近ごろでは旧暦のうるう年ならば、1年を通してお墓を建てるにも仏壇を買うにもよいと考えられる傾向にあるようです。

これなどもまさに、さまざまなことに忙しく暮らす現代人のくらしに適応した解釈の拡大ということができましょう。そして、このような解釈が広まった結果、ユンヂチという言葉じたいも、本来の「うるう月」から「うるう年」の意味で使われることが多くなっていったものと思われます。

ユンヂチは、位牌の買いかえや修理などにも適しているとされています。

ユンヂチにできること

ただ、たとえばお墓を新築する場合なら、日取りを気にしなくてよいユンヂチとはいっても、地相や方角の吉凶をみてもらうことは必要として、実際にはユタやサンジンソー（三世相）など、専門の方に判断を仰ぐことも多いようですから、この点は身近なご年配の方に相談されるなど、よくお気をつけになっておすすめになるとよいでしょう。

では、専門の方の判断なしにできることにはどういったものがあるのか、気になるところですが、これには、お墓の簡易な修繕や、道具類の新調、取りかえなどがあります。具体的には、お墓の塗装や、お墓の庭に雑草が生えないようセメントを敷く工事、仏壇や位牌をはじめウコール（香炉《こうろ》）やハナイチ（花生《はないけ》）などの取りかえといったことが挙げられましょう。

一例として、仏壇の道具を取りかえる際の手順をお示ししておきますと、まず、あらかじめ買い求めた新しい道具は、焼物なら洗い、塗

管理型霊園に整然と並んだ御影石造りの真新しいお墓。

物なら拭くなどして清めておきます。準備がととのいましたら、仏壇に線香を供え、「今日はユンヂチの最中《さなか》のよき日でございますので、古くなりましたお道具をお取りかえ申し上げます」という主旨のことを唱えて手を合わせたのち、道具を新しいものに取りかえます。これは、とくにむずかしいものではありませんし、ひととおりご自身でおこなえますから、覚えておかれるとよいでしょう。

お墓は買うべきか買わざるべきか

沖縄では、旧暦のうるう年（本来はうるう月）は、お墓や仏壇の新調、修繕の好機とされますが、ひじょうに興味深いことには、他県ではこれとはまったく逆に、「旧暦のうるう年にお墓を建てたり、仏壇を買ったりするのは縁起が悪い」とされることがふつうです。

日本では江戸時代まで、武家の俸禄《ほうろく》や奉公人の給金は、ほとんどが年額制だったため、うるう年になると、いつもの年と同じ収入でふだんの年より1か月長く暮らさねばなりませんでした。そのため、大きな出費をつつしむ意味で、お墓を建てたり仏壇を買ったりといったことを避けたのが、こうした考えかたのおこりとされています。しかし、近代に入ると、公式の暦は旧暦から新暦、すなわち太陽暦となり、賃金も月給制が大勢を占めるようになったことから、倹約のためという本来の理由はいつしか忘れられ、しかも、たまたまお墓や仏壇にかかわることであったため、「縁起が悪い」という、いかにももっともらしい解釈があとづけされてしまったようです。

ただし、その意味づけはともあれ、うるう年のお墓の建立や仏壇の新調をめぐる考えかたが、沖縄と他県でまったく相反するものとなってしまったそもそもの理由は、今のところよくわかっていません。

難解さが醸す神秘性

4年に一度、2月29日と定まっていて覚えやすい新暦のうるう日とくらべ、旧暦のうるう月はきわめて複雑なしくみにもとづき算出され、何年かに一度、確実にめぐってはくるものの、その時期も一定しません。こうした難解さにくわえ、お墓や仏壇といった信仰の世界とのかかわりが深いことなどもあって、なにやら神秘的な印象を醸し、今なおくらしの中に旧暦が深く根づく沖縄では、ユンヂチはたいへん重視されているようです。

さらには、ウグヮンにかかわることがらゆえに、「ユンヂチは余分の月なので、神様の目が届かない」といった、ことさらに神の世界とのかかわりを強調した解釈も流布するなど、その意味は、しだいに拡大解釈される傾向もうかがえます。

そして、少しでも長いほうがものごとをすすめやすく、都合がよいとの考えからか、ユンヂチの期間もまた、本来の1か月間から1年間へと、しだいに拡大解釈をされてきたのではないかと推測をされるのです。

ソーグヮチのはなし

新年はなぜめでたいのか

「あけましておめでとうございます」といって正月を祝うのは、ごく簡単に言えば、もともと正月がその年の繁栄をもたらすとされる歳《とし》神《がみ》を迎える祝いの儀礼であったことや、かつては正月を迎えると1歳年をとる数え年で年齢を計算したことから、誕生日を祝うのと同じような感覚があったためです。

また、古くは無事に年を越すことができて正月を迎えられれば、人の生命や魂はみずみずしく蘇《よみがえ》るとされていましたから、そのことを互いに祝いあうという意味もありました。新年をことほぐかぎやで風節の歌詞「新玉《あらたま》の年に炭《たん》と昆布《くぶ》飾《かざ》て心《くくる》から姿《しがた》若《わか》くなゆさ（新たな年に炭と昆布を飾れば、心も姿も若くなるようだ）」に使われた「あらたま」という掛詞《かけことば》は、新たな魂《たましい》を示すものといわれていますし、お年玉の「玉」もまた「魂《たま》」で、これもまた生命を更新して若返りを果たしたことを祝う贈りものというのが、本来の意味と考えられています。

新正月と旧正月

現在では沖縄でも多くの地域で主流となっている、新暦（太陽暦）による正月は、新正月、あるいは新正とよばれるほか、明治以降に日本から導入されたという意味で、ヤマトゥソーグヮチ（大和《やまと》正月）ともよばれます。これに対し、沖縄で古くから祝われてきた旧暦（太陰太陽暦《たいいんたいようれき》）による正月は、旧正月、旧正のほか、ウチナーソーグヮチ（沖縄正月）とよばれることもあります。

その名の示すとおり、沖縄ではおおむね新正月には日本風、旧正月

玄関のドアの上に吊られたしめ縄。

には沖縄風の飾り物やご馳走が用意される傾向にあります。そして、正月を新暦で祝うことが一般的になったとはいえ、依然として伝統的な祭祀に関わることがら、たとえばヒヌカンや仏壇に対するお供えなどは、旧正月におこなうご家庭も多くみられます。

なお、糸満市の字《あざ》糸満をはじめ、うるま市の与那城、勝連一帯などでは、現在も多くの家庭で正月の行事はもっぱら旧暦でおこなわれますが、これらの地域には、いずれも海沿いにあって漁業のさかんな地域といった共通点があるようです。

松飾りとしめ縄

他県では、大晦日《おおみそか》に正月飾りをすることを「一夜《いちや》飾り」といい、葬儀の支度のしかたと似ていることなどから縁起が悪いと避けられますが、沖縄ではこの点は古くからとくに問題にされず、旧正月の飾り物はトゥシヌユール（大晦日）か元日の早朝にととのえられます。

近ごろは沖縄でも、新暦か旧暦かを問わず正月に鏡餅を飾ることが一般的になりました。

糸満では、松と竹に菜の花を添えた松飾りがみられます。

屋敷の入口である門の両側には、松と竹の枝を束ねたものを立てます。これは他県でよくみられる青竹の幹を3本立てて周りを松でとり巻いた門松《かどまつ》とくらべると、ずいぶんシンプルな松飾りといえましょう。糸満などでは松と竹に菜の花を加えて飾りましたが、これは黄色の花を黄金に見立て、豊かな年になるようにとの願いを込めたもので、仏壇のハナイチ（花生《はないけ》）にも菜の花が生けられました。

門や玄関の上部にしめ縄を飾る習慣は、沖縄ではそう古くないようですが、おもに戦後、みかんとタントゥクブ（木炭に昆布を巻いたもの）を取り付けたシンプルな藁《わら》製のしめ縄が作られるようになり、現在ではかなり普及しています。なお、縄を張った内側が清浄であることを示す結界《けっかい》がしめ縄の役目ですから、家の中と外との境である入口の真上に吊るのが本来の飾りかたで、クリスマスの飾り物のようにドアじたいに取り付けてしまっては出入りのたびに結界が動き、残念ながらその効果は薄いといえましょう。

糸満では、仏壇にアカカビを3組飾ります。

正月飾りは3色の紙の上に

仏壇やヒヌカン、床の間などには、アカカビとよぶ赤、黄、白の3色の紙を重ねて敷いた上に、地域や家庭によって若干のちがいがみられますが、みかん、ハナグミ（生米）、ウチャヌク（大、中、小3個の白餅を重ねたもの）、タントゥクブ（木炭に昆布を巻いたもの）、硬貨などをのせて飾ります。これは、他県の鏡餅に相当する正月飾りで、沖縄では新正月には日本式の鏡餅、旧正月にはこの沖縄式の飾りものをされるご家庭もみられます。

アカカビにのせた正月飾りは、仏壇には2組、ヒヌカンには3組、床には1組を飾ることが一般的ですが、糸満市の字糸満では仏壇にも3組飾るほか、これは略式の飾りかただろうと思われますが、近ごろではヒヌカンに1組だけ飾るご家庭も多くみられるようになりました。なお、正月が喪中の場合には、アカカビのかわりに白い紙を敷いて飾るか、飾り物じたいをしないことがふつうです。

久米島の一部では、アカカビの上にみかんではなくニンジンを置き、正月飾りとします。

アカカビのさまざまな意味

沖縄の正月飾りに使われる、赤、黄、白の3枚の紙を一組としたアカカビは、ウカザイカビ（御飾紙）、イルンチャビ（色御紙）、ソーグヮチカビ（正月紙）、ウカリー、ンスなどともいい、ウカリーは「おめでたい」という意味、ンスは衣裳の丁寧語ですから色鮮やかな飾り紙を美しい衣や布にたとえたもののようです。

この3色は、赤は太陽、黄は月、白は雲（または星）をあらわすとの説が代表的ですが、ほかにも、黄は親雲上《ペーチン》、赤は筑登之《チクドゥン》、白は無官で、昔の位階に応じた冠《かんむり》（ハチマチとよばれました）の色をあらわし、立身出世を願う意味とする地域や、黄は皮膚、赤は肉（あるいは血）、白は骨で人体をあらわし、健康を願うものという地域もあります。これらの意味付けによって、重ねる順序も、上から黄、赤、白とするものと、赤、黄、白とする2通りあります。また、もともとは家の格式などによっても重ねかたが異なったようですが、現在では市販のアカカビが

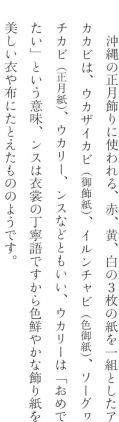

市販品のアカカビは、赤を上にして重ねてあります。

赤、黄、白の順に重ねてあるため、そのまま赤を上に飾るご家庭が多いようです。

みかんと炭と昆布

アカカビには、みかんを1個のせるのがもっともシンプルな飾りかたです。みかんは、正月飾りに用いる場合はクガニクニブ（クガニは黄金、クニブはみかんの意味）といい、黄色の実を黄金に見立て、財運に恵まれるようにとの願いが込められています。硬貨を飾るのも同じような意味によるものでしょう。なお、正月飾りのみかんはデーデークニブ（デーデーは代々《だいだい》）といって、家が代々栄える意味ともされますが、これは日本で正月飾りに使われるダイダイ（柑橘《かんきつ》の一種）が、「代々」とかけて縁起物とされることの影響なのでしょう。

また、短く切った木炭に昆布を巻いたタントゥクブ（炭と昆布）も、みかんとともに飾られるもので、これは一時期あまり見かけなくなっ

アカカビの上にみかんとタントゥクブ、ハナグミをのせた正月飾り。

ていましたが、近年になって復活の傾向にあるようです。炭は山の恵み、昆布は海の恵みを象徴し、語呂合わせで「たん」とよろ「こぶ」とされる縁起物で、アカカビ1組につき1個ずつ飾るのが基本です。近ごろは立てて飾る方も多いようですが、寝かせても別にかまいません。なお、市販のタントゥクブに結ばれた金銀の水引は現代風にアレンジされた装飾で、これにはとくに意味はありません。

年始回りにはご先祖様を拝む

年始回りを沖縄ではニントゥー（年頭の意味）、あるいはウシーマーシー（順番に回るという意味）などといい、本家や親戚宅を訪ねて仏壇に供え物をして拝み、ウヤファーフジ（ご先祖様）に年頭のあいさつをします。この沖縄式の年始回りについては、めでたい正月早々、線香を焚いて仏壇を拝むことに抵抗を感じられるという他県ご出身の方が多いのですが、沖縄では正月も盆と同じくウヤファーフジを拝むべ

糸満の正月2日のカミニントゥー（神年頭）は、男性だけが門中の宗家に集まり祖神を拝みます。

き行事と位置づけられています。ですから、とくに血縁関係がなく、拝むべき仏壇のない家庭（職場の上司や恩師宅など）への年始回りが沖縄でさかんになったのは、日本のしきたりにならった近年の傾向と考えられます。

年始回りでは、持参した御年賀の品を仏壇に供えてから、各自線香3本に火を付け、ウコール（香炉）に立てて合掌します。なお、日本のしきたりでは、年末の贈答品には「御歳暮」、正月ならば「御年賀」と表書きをしますが、どうしたことか沖縄では年始回りで供える品の表書きを「御歳暮」とすることが多いようです。ただし、こうした日本式の表書きじたい、沖縄で普及をみたのは戦後のことでしょうから、この誤った習慣もここ数十年で広まったものと思われます。

正月飾りの片づけ

かつては、正月飾りを片づけるのは、多くの地域で7日のナンカヌ

糸満の白銀堂で元日の朝、拝む順番を待つ人たち。

スクとされましたが、15日のソーグヮチグヮーや、もっとも遅いところでは20日のハチカソーグヮチ（二十日正月）におこなうこともあります。

このうち、ナンカヌスクは「七日の節供《せっく》」で、この日は五節供《ごせっく》（一年の重要な節目とされる5つの日）のひとつである人日《じんじつ》にあたり、他県では七草粥《ななくさがゆ》を食するならわしとなっています。また、15日は他県では小《こ》正月《しょうがつ》とよばれ、この日に左義長《さぎちょう》やどんど焼きといって、松飾りやしめ縄を焚きあげますから、ソーグヮチグヮーに正月飾りを片づけるのも、これと同じ流れをくむしきたりでしょう。そして、20日はウワイソーグヮチ（終わり正月）ともいって、一連の正月行事のしめくくりとされる日です。

ヒヌカンや仏壇、ヒヌカンから片づけた正月飾りのアカカビやタントゥクブなどは、適宜処分してもかまいませんが、アカカビはかつては折り紙や玩具の材料として子供たちに与えられたほか、グソーヌソ

大和風の新正月の床飾り。

沖縄風の旧正月の床飾り。

ーグヮチ（あの世の正月）とされる1月16日のジュールクニチー（十六日）に供える紙製の灯籠《とうろう》の材料としても再利用されました。

喪中の正月行事

正月はおめでたい行事ですから、不幸のあった家庭、すなわち死者が出て間もない家庭では他家への年始回りはおこなわないようにします。喪中の家庭に対する新年のあいさつのための訪問や賀状の送付も遠慮しましょう。

喪中であっても、ヒヌカンなどの正月飾りはおこないます。ただしその場合、みかんやハナグミ、硬貨などの飾り物はふだんどおりにしますが、喪中にはめでたさを連想させる鮮やかな色を避ける意味で、赤、黄、白の3枚の紙を一組としたアカカビのかわりに、白い紙を3枚重ねにして用います。

正月の行事をつつしむ期間は、一周忌が済むまで（死後最初に迎える

ヒヌカンの正月飾り。

正月のみ）とするのが一般的ですが、首里など一部の地域では、三年忌の済むまでは喪中ととらえ、死後2度目の正月までとされることもあります。ただ近ごろは、人が亡くなって7日目から49日目まで、7日ごとに7回にわたり営むべきナンカ（七七忌《しちしちき》）を、繰上《くりあ》げ法要として初回のハチナンカ（初七日《しょなのか》）の一度で済ませてしまうことも増えましたから、喪に服する期間も短めにとらえ、正月行事を控える風習をさほど強く意識しない方も多いようです。

万事派手なことはつつしむ

ついでに申し上げておきますと、喪中には正月のほか、シーミー（清明祭）の墓参も差し控えるのが通例です。また、彼岸や盆はふだんどおりにおこないますが、お供えするジューバク（餅と料理からなる供え物）は法事に準じ、かまぼこは赤ではなく白いものを用います。

そして、婚礼や結納、トゥシビー（生年祝）などの慶事は日延べす

旧正月の糸満漁港。漁船に大漁旗を掲げ、竿の先には松と竹を立てています。

るなどして喪中におこなうのを避け、他家のこのような慶事についても参列を控えます。これは、喪に服する人が身をつつしむという理由以上に、家庭内に死者が出て間もない人には「死のけがれ」があるとされ、めでたい儀礼にかかわることを嫌ったためです。

近ごろでは「迷信なので気にしない」「せっかくの機会だからぜひ祝ってあげたい」と、喪中であっても祝いの席に出られる方が増えましたが、祝われる側のご本人やお身内に本来の意味をご存じで「縁起でもない」と感じる方がおいでになることも考えられますから、その点は十分に注意を要します。

いずれにせよ、喪中には正月をはじめ慶事にかかわること、「たしかあの方は喪中のはずだけど」などと思われるような派手なふるまいは、やはり控えるのが無難といえましょう。

沖縄の供え物
あれこれ

ウチャヌク

ウチャヌクは、白い丸餅を3段重ねたもので、ウタキ（御嶽）やカー（井戸や湧き水）への祈願、ヤシチヌウグヮン（屋敷の御願）など、主に神拝みに供えられますが、正月にタントゥクブ（木炭に昆布を巻いたもの）、クガニクニブ（黄色のみかん）などとともに、ヒヌカンに供える家庭もあります。

甘みや味、色をつけず、あんも入れない米の餅で、表面には米粉や片栗粉などの白い粉をまぶします。

もっとも大きい下段は直径10センチほどで、中段、上段と少しずつ径を小さく作り、大、中、小の順に3段重ねます。この3段でチュカジャイ（一飾り。1セットのこと）とよぶ場合と、3段を3組にしてチュカジャイとする2パターンの数えかたがあり、実際の行事では3組並べて供えることが多いため、市販品は3組9個にウチジフェーシ（一度供えたものの一部のみを取りかえ、新たな供え物とみなすこと）のための餅を何個か加えたものを1セットとしています。

3段重ねの餅は、天と地と竜宮（海）をあらわす、あるいは原始から現在までの時代を意味するウサチユー（先の世）、ナカガユー（中の世）、イマメー（今の世）をあらわすものとされるほか、太陽と星と月、天と地と人などとも説明されます。また、地の恵みの米に天の恵みの水を加え、神聖な火を使って作ることから、この世のすべての恵みが融合した供え物と説く人もいるようです。

ウチャヌクの名は、茶菓子や軽食、または仏事で供えたり配ったりする菓子や餅を「茶《ちゃ》の子《こ》」とよぶ日本の古い言葉に由来します。

また、ウトゥシジャマやトゥシザマといったよびかたもありますが、これも日本の「年玉《としだま》」という鏡餅の古称に由来し、沖縄のウチャヌクのルーツが日本にあり、また鏡餅にあることを示しています。

なお、近ごろではウチャヌクに代わる供え物として、大、中、小3段重ねのコンペン、タンナファクルーなどの焼菓子も市販されています。

シーミーのはなし

中国から伝えられた墓参りの行事

旧暦3月、二十四節気《にじゅうしせっき》の清明《せいめい》の節内におこなわれるシーミー（清明祭）は、お墓の前に一族が集い、さまざまな供え物をしてウヤファーフジ（ご先祖様）を供養する行事で、中国では今もさかんな清明節の墓参のしきたりを取り入れたものです。シーミーの行事があるのは日本では沖縄だけで、18世紀ごろから沖縄本島の中南部を中心に広まっていったと考えられています。

ただ、宮古、八重山や久米島といった離島ではほぼみられず、本島内にもシーミーをおこなわない地域があるなど、地域によって普及の程度

二段重2つと収納用のシー（外箱）。沖縄では料理と餅をチュクン（一組）供える道具として、二段重2つを1セットとして作ることが一般的でした。

にかなりの差があることは、この行事の大きな特色といえるでしょう。

ジューバクを詰める前に

シーミーのお供えといってまず思い浮かぶ、ジューバク（重箱に詰められた供え物）は、料理を詰めたもの1段、餅を詰めたもの1段の計2段が基本のセットで、これを「カタシー」または「ハンクン」（半組）といい、これを一対そろえた計4段が「チュクン」（一組）です。

重箱の外側に文様や家紋などが付いている場合は、まず向きを確認してから詰めはじめるようにしましょう。重箱の家紋はふつう、各段とも外側の前後2か所の中央に入っています。また、連続した文様のある重箱は、重ねたときに文様がきちんと合うように注意します。

ジューバクの料理

ジューバクの料理は、大きく分けて揚げもの（アギムン）、煮しめ（シ

一般的なジューバクの中央の列への料理の詰めかた。

ミムン)、かまぼこ(カマブク)などがあり、3品、5品、7品、9品というように奇数の品数を詰めますが、その代表的なものを紹介します。なお、このうち豚肉(三枚肉が多く使われます)、赤かまぼこ、昆布、揚げ豆腐は、重箱に詰める料理のレギュラーメンバーで、ほとんどの場合、この4品を基本にして、のこりの何品かを行事の内容や好みなどできめていきます。

①揚げもの

揚げ豆腐、魚のてんぷら(白身魚の身を棒状に切って芯にしたもの)、さや豆のてんぷら、田芋の揚げもの(から揚げして砂糖醤油にくぐらせたもの)、花麩(溶き卵を付けて揚げたもの)などがあります。

②煮しめ

三枚肉(皮付きの豚バラ肉)、ボージシ(豚ロース肉)、昆布(結んだり返したりして形を作る)、ごぼう、大根(四角く棒状に切る)、こんにゃく

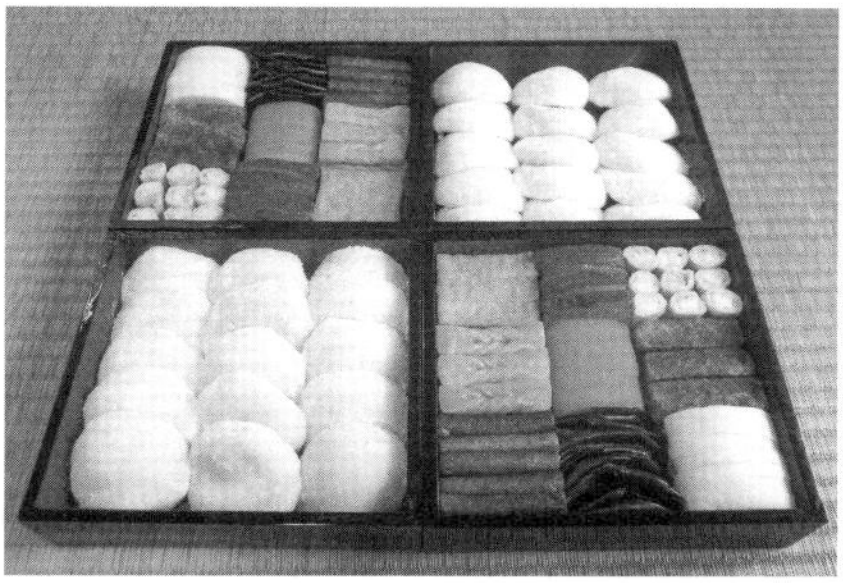

9品の料理と餅からなるチュクン（一組）のジューバク。供える場所によって、写真のように2列にしても、横1列に並べてもかまいません。

（手綱《たづな》こんにゃく）があります。煮しめは、重箱に詰める前に鍋から引きあげ、十分に汁気を切っておくようにしましょう。

③かまぼこ

赤かまぼこ（シーミーにはふつう白かまぼこは使いません）、カステラかまぼこがあります。ひとつの重箱に詰める数は5枚や7枚というように枚数を奇数とし、均等な厚みに切るよう気をつけましょう。

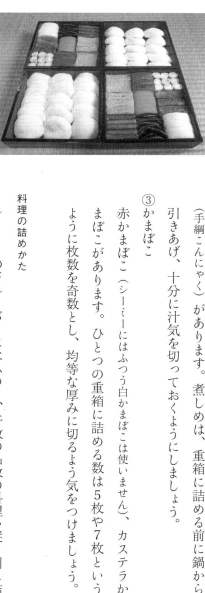

料理の詰めかた

シーミーのジューバクにはふつう、奇数の品数の料理を縦3列に詰めます。運んでいるうちに中身が片寄ってしまわない、すき間なくきっちりと詰めるのがこつです。

中央の列は、100ページの図のように料理のレギュラーメンバーのうち、豚肉、赤かまぼこ、昆布の3品を詰めるのが一般的で、もっとも鮮やかな赤かまぼこは、重箱の中心に配置すると全体の色のバラ

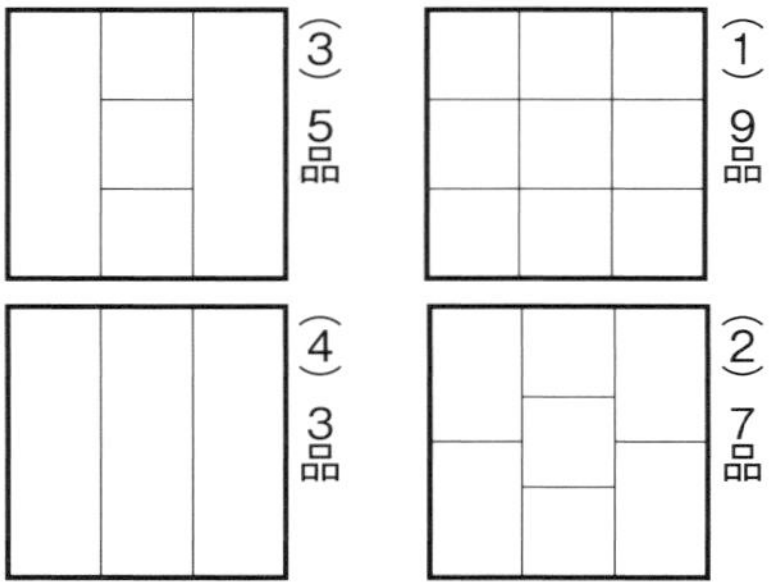

料理の品数による重箱への詰めかた。

ンスがとりやすくなります。左右の列の配置にはとくにきまりはないので、適宜色どりなどを考えて美しく見えるよう詰めればよいでしょう。

すき間なく3列に詰めるため、豚肉や田芋、大根などは、重箱の幅の3分の1を目安に切りととのえて調理するようにし、魚や豆の天ぷらなどは、揚げたあとに両端を切り落として幅を調整します。なお、市販のかまぼこやこんにゃくなどの多くは、もともと重箱に詰めることを想定した幅で作られています。

いくつもの種類の料理をきれいに詰めるには、高さをそろえることも大切です。高さが足りない料理は、かまぼこ、アルミホイルを巻いた割箸、食パンなどを下に敷いて底上げするなど、みなさんいろいろと工夫されています。

餅の詰めかた

餅は、ひとつの重箱に9個、15個、21個というように、奇数個を3

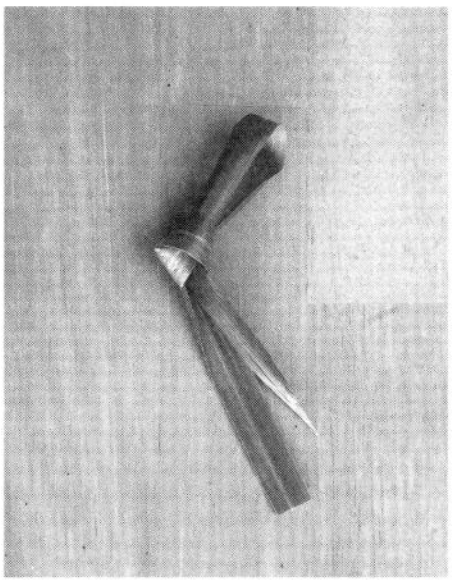

草の葉を結わえて作ったサン。

列に並べて詰めます。たとえば、15個なら5個×3列という具合です。

まず、餅の表面にまぶされた粉の余分をよくはらい落とし、重箱の左隅の奥から詰めはじめます。2個目からは奥の餅に上端を少し重ねながら、手前に向かってまず縦1列を詰め、次に中央、右の列の順に奥から手前に同じように並べていきますが、このときわずかに隣の列の餅に重ねるようにします。餅の種類がいくつかある場合、列ごとに同じ種類のものを並べると見た目もよいようです。

なお、シーミーのジューバクは戸外に持ち出すものですから、邪気を避けるため、餅、料理ともに詰めたあとには草の葉などを結わえて作ったサンをのせることもお忘れなく。

持っていくべきものなど

シーミーには重箱に詰めた料理と餅のほか、果物、菓子、花、茶、線香（ヒラウコー）、酒（泡盛）、ウチカビなどの供え物を準備します。

墓口の手前のナー（墓庭）より一段上ったところをサンミデーといい、ここに供え物を並べます。

これらに加えてハナグミ（生米）やシルカビも供えるご家庭でしたら、ビンシー（酒、ハナグミ、線香などをおさめた箱型の道具）があると便利でしょう。また、果物や菓子の種類にはとくにきまりはないので、好みのものを適宜お供えします。

湯のみ、果物や菓子を盛る器、線香やウチカビに点火するライター、ほうきや鎌《かま》、軍手などの清掃用具、蚊取線香などの虫除け、敷物、供え物のウサンデー（お下がり）をいただくための紙皿や割箸も忘れないよう、出かける前にしっかり確認しましょう。そして、暦の上では晩春とはいえ、清明のころの沖縄はもうすっかり初夏の陽気ですから、日差しや暑さへの対策も怠りなく。

供え物の配置

お墓に着くと、まず草刈りや清掃に取りかかります。墓口の前の一段上がったところをサンミデーといい、供え物はここに並べますので、

サンミデーの中心にはビンシーとジューバクを並べ、その両脇に菓子と果物を置きます。

とくに念入りに掃き清めましょう。

掃除を済ませたら、墓前に敷物を敷き、持参した荷物を解いて供え物を並べます。メインの供え物である料理と餅を詰めた重箱はふたを取り、上にのせたサンを取って、墓口側からみて餅が左、料理が右になるようサンミデーの中央に並べます。チュクン（一組）の場合は4つの箱を横1列に並べる方法と2列にする方法とがありますが、これはサンミデーの大きさや供え物の量に応じ、どちらでもかまいません。ただし2列のときは、上の写真のように手前側のカタシーはこちらから見て餅を左、料理を右に並べます。近ごろは、衛生面を重視してか重箱にラップをかけたままお供えされる方もおいでですが、それではふたをしているのと同じですから、ウヤファーフジ（ご先祖様）に召し上がっていただくという気持ちをもち、せめて線香をあげている間くらいは外しておきましょう。

果物や菓子などはジューバクの両側に配置し、花と茶を注いだ湯のみは、墓口の前にある香炉（線香立て）の左右に一対ずつ供えます。供え物はできるだけ左右対称を心がけ、整然と並べるようにしましょう。敬う心を目に見えるようにしたのが供え物や儀礼のかたちですから、やはり美しくととのえる心づかいはほしいものです。

儀式のすすめかた

供え物の支度がととのうと、正面の墓口の前の香炉に線香12本（ヒラウコー2枚）を供え、一家の主人や年長者などが「今年もシーミーの時季となりましたので、一族そろってお墓を清め、供え物をととのえてご先祖様をおまつりにまいりました。どうかお受け取りくださり、家族の健康と安全、一家の繁栄をお見守りくださいませ」という趣旨のことを唱え拝みます。続いて全員がそれぞれ線香3本（ヒラウコー2分の1枚）を供え、手を合わせます。

ご先祖様を拝む前に、酒とハナグミ、線香12本などを供え、墓口に

墓口に向かって左の隅に置かれた、ウチカビを焼くためのコンクリート製の炉。

向かって右の隅（ここをヒジャイとかジーチヌカミといいます）を拝む家庭もありますが、これには墓の土地の神様へのあいさつと感謝の意味があります。

ウチカビの供えかた

線香を供えたら、あの世のお金であるウチカビを焼いて供えます。墓口に向かって左の隅にはウチカビを焼く場所を設けてあることが多いのですが、これがない場合は墓前の適当な場所で焼きます。5枚ないし3枚を一組として、まず両手に持ちおしいただき、端に火をつけます。ほぼ燃えきったところで杯に注いでおいた酒を3回に分けてかけますが、このタイミングが早すぎると燃えのこりが出て、全額送金できないともいいますのでご注意を。

次男や三男、女子など、親元から分かれ世帯を構えた人もそれぞれウチカビを焼きますが、その場合は必ず供え物を持参します。近ごろ

糸満の門中墓でのシーミーは、墓前に酒とハナグミ、線香を供えるのみで、ジューバクなどはありません。

は菓子や果物のほか、供物料としてお金を包むこともありますが、いずれにせよ何も供えずにウチカビだけ焼いて済ませるといった、イチミ（現世）ばかりに都合のよい方法は通用しないようです。

ここからはご歓談のお時間です

ウチカビを焼き、線香もほぼ燃え尽きるころあいを見はからい、墓前に手を合わせ「ウサンデーサビラ（お下げいたします）」と唱え、ジューバクなどの供え物を下げて家族みんなに取り分けます。そしてしばらくの間、ウサンデー（お下がり）をいただきつつ墓前で歓談したのち、全員で墓前に合掌してから、片づけをしてお墓をあとにします。

シーミーは、二十《にじゅう》四《し》節気《せっき》の清明の節内《せつない》（新暦4月上旬から中旬ごろ）におこなうのが本来ですが、多少遅れてもかまわないとするところも多いため、近ごろでは拡大解釈されて5月の大型連休、いわゆるゴールデンウイークあたりまで先のばしにする例もあるようです。

沖縄の供え物 あれこれ

ジューバク

ジューバクは、料理と餅からなる供え物で、ジューバクというよび名は、料理と餅を重箱に詰めることに由来するものです。

料理は、揚げもの、煮しめ、かまぼこなどを、品数を奇数（5、7、9品）にし、すき間なく詰め込みます。餅は、丸餅（丸く平たい形に作った餅）で、詰める数は1段につき9、15、21個と奇数として、3列に並べて詰めます。

料理2段、餅2段の計4段のチュクン（一組）が正式な数量とされますが、これを略してハンクン（半組）、カタシー（片方）などといって、料理1段、餅1段の計2段供えることもあり、チュクンかハンクンかは、行事の内容や供える対象などによって使い分けられます。

ジューバクに詰める料理は、年中行事や祝いごとも、スーコー（法事）などの弔事もほぼ同じで、色や形、詰めかたに変化をつけて慶弔の別を表します。

たとえば、年中行事や祝いごとでは、かまぼこは赤かまぼこ（食紅で赤く染めたもの）、昆布は結んだ形とし、豚三枚肉は皮目を下に詰めますが、逆に弔事ではかまぼこは白、昆布は結ばずに形を整え、豚三枚肉は皮目を上に詰めます。なお、田芋は子孫繁栄を意味する縁起物とされるため、弔事には使いません。

餅についても、弔事ではシルムチ（白餅。甘みや味を加えず、あんなども入れない餅）にかぎられますが、それ以外の場合には、あんを入れたり、さまざまな色や味をつけたりした餅が好みで供えられます。また、餅のかわりに握り飯や菓子を供えることもあります。

料理には、沖縄本島北部のモーイドーフ（海藻のイバラノリの煮こごり）、八重山の紅白かまぼこ（半分だけを桃色に染めたかまぼこ）といった地域的な特色もみられますが、近ごろではおもにスーパーで購入したものを使うこともあり、全県的にほぼ似たようなものになりつつあります。

シチグヮチのはなし

盆の支度は掃除から

数ある沖縄の年中行事のなかでも、もっとも盛大におこなわれるシチグヮチ（盆）。その初日である旧暦7月13日は、ご先祖様を家庭にお迎えするウンケー（御迎え）の儀礼を夕方ごろおこないますので、それまでに仏壇《ぶつだん》や位牌《いはい》、道具類を清め、さまざまな供え物を飾り付けて、盆の支度をととのえておきます。

まず、「お盆の支度のため、これからお掃除をさせていただきます」と手を合わせてから、仏壇の前面に立てられた障子《しょうじ》を取りはずします（盆の期間中は、この障子ははずしたままにしておきます）。それから仏壇の

葉付きのショウガは、邪気を払うために飾られます。

内外をくまなく掃除していきますが、とくに内部の天井は線香やろうそくの煤《すす》などで汚れていますから、重点的に拭き清めましょう。

また、仏壇のほかにも、ご先祖様を出迎える門や玄関の周りなどはふだん以上に入念に掃除しておきます。

道具類の手入れのしかた

仏壇の最上段にある位牌などは、ふだんはめったに動かせませんから、このときが手入れのよい機会となります。かつては「トートーメーアミシーン（位牌に水浴びをさせる）」といって水洗いすることもあったようですが、金箔《きんぱく》を貼った部分にはふれないよう十分に気を付けつつ（金箔を貼ったところにふれると、その部分が変色してしまいます）、よく絞った濡れ布巾で拭《ぬぐ》ったあと、軽く乾拭《からぶ》きする程度のほうがよいでしょう。

ウコール（香炉《こうろ》）は、線香の燃えのこりなどを取り除き、灰を山形にととのえます。ウコールの掃除用に専用のスプーンや箸、小型のし

スーパーの店頭に積まれたガンシナ。

グーサンウージとよぶ長いサトウキビは、ご先祖様の杖とされています。

やもじ、網杓子《あみじゃくし》などをそろえておき、仏壇の中の戸棚にしまっておくと便利です。また、灰が多くなりすぎた場合はウコールから取り分け、庭の隅《すみ》の植込みなど、人の踏まない場所にまくようにします。

ハナイチ（花生《はないけ》）はよく洗ってから花を生けておきますが、とげのある植物は避け、盆の期間中に枯れてしまわないよう、暑さに強い花を選ぶことも大切です。

ウチャトー（お茶）を供える湯のみや盃《さかずき》なども洗ったり、拭《ふ》いたりしておきましょう。昔から、仏壇の道具類は盆前のタナバタ（旧暦7月7日）に取りかえるのがよいとされていますので、ひびや欠けなどがないか、事前に確認しておきたいものです。

供え物の中心は果物類

盆には仏壇にさまざまな種類の果物を供えます。地域により多少異なりますが、古くからの定番であるバナナやミカンのほか、好みによ

季節の果物のほか、スイカ、サトウキビなどをそれぞれ一対ずつ飾ります。

束ねたサトウキビは、近ごろでは供える家庭も少ないようです。

ってリンゴやナシなどを加え、三方《さんぼう》や、コンポートなどの台付きの鉢に形よく盛り合わせます。スイカやパイナップルも盆の供え物として欠かせませんが、これらはガンシナとよぶ藁《わら》などで作った輪を敷き、仏壇に直《じか》に置きます。なお、パイナップルが盆の供え物になったのは近年のことで、もともと供えられていたアダンの実に形が似ているため代用されるようになったものです。

グーサンウージは、ご先祖様がグーサン（杖《つえ》）にされるという長いサトウキビで、仏壇の両脇に1本ずつ立てかけますが、近ごろは足腰の強いご先祖様が多くなられたのか、省略される傾向にあります。また、独特の香りで邪気《じゃき》をはらうとされる葉付きのショウガを一対飾るご家庭もあります。

最近は小さな仏壇も多く、果物類もそれぞれ1個ずつ供えるのがやっという場合もあるようですが、もともとはいずれも仏壇の両側に一対ずつ、左右対称に飾られました。

市販のメドハギ。葉先は束ねてソーローホーチを、枝は適当な長さに切りそろえて箸を作ります。

ソーローホーチはご先祖様が家に上がられる前に足をすすぐ道具とされ、水をはった桶に入れ、玄関先などに置きます。

そのほかの支度いろいろ

盆の期間中は、ご先祖様の周辺を明るくすることも大切なウトゥイムチ（おもてなし）です。最近ではいろいろなデザインの盆提灯《ぼんちょうちん》が市販されていますから、仏壇の左右に飾って灯りを点《とも》してください。

また、グソー（あの世）からの長旅をしてこられたご先祖様が手足を洗い清めるための道具として、ソーローハージ（メドハギ）の葉を束ねて箒《ほうき》を作り、水を入れた鉢に添えておく家庭もあります。近ごろは野山でメドハギを探すこともかなりむずかしくなりましたが、そのかわり盆が近づくと、スーパー等で売られるようになりました。

さて、これで盆の支度はひとおとおり済みました。いよいよ夕方を待ってご先祖様をお迎えすることにいたしましょう。

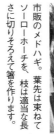

ご先祖様をお出迎え

旧暦7月13日は、夕方までにすべての支度をととのえ、家族がそろ

13日の夕方、門の両側にろうそくなどの火をともし、ご先祖様を自宅にお迎えします。

いましたらウンケー（御迎え）の儀礼をおこないます。ウンケーは辺りが暗くなりきらないうちに済ませるものとされるのは、ご先祖様をお待たせしないための心配りです。

かつては迎え火として門前でトゥブシ（松明《たいまつ》）や竹を燃やしましたが、最近は門の両側でろうそくを点《とも》して代用するほか、門灯が明るいからと省略される方も多いようです。

ウンケーの手順は、まず一家全員で自宅の門（集合住宅などの場合は玄関）まで出て、主人や年長者などが火をつけた線香12本（ヒラウコー2枚）を門前に置きます。そして、全員で門の内側から外に向かい合掌し、「今年もようこそおいでくださいました。これから3日間にわたりおもてなしいたしますので、どうかお受け取りください」という趣旨のことを唱えます。その後、ご先祖様を家の中に招き入れるようにして全員で仏壇の前へと移動し、主人や年長者などがウコール（香炉）に線香12本（ヒラウコー2枚）、次いで全員が線香3本（ヒラウコー2分の1枚）

13日の夕食のウンケージューシーの膳。

団子は、ウンケーに供える家庭と、ウークイに供える家庭とがあります。

を各自立てて合掌し、ご先祖様にごあいさつを申し上げます。これでご先祖様は一年ぶりにわれわれ子孫のもとへとお戻りになられました。

ウンケーの供え物

ウンケーのあとの夕食から、ご先祖様へのウトゥイムチ（おもてなし）がはじまります。この日の夕食には、ウンケージューシーとよばれる豚肉やしいたけ、ニンジンなどを刻んで加え、だし汁や醤油《しょうゆ》で味付けをした炊き込みご飯を作る家庭が多く、これに汁物やウサチ（酢の物）を添えてお供えします。この膳にかぎらず、盆の期間中供える食事にはソーローウメーシ（精霊御箸）といって、メドハギの小枝で作ったご先祖様専用の箸を添える家庭もあります。

また、ウンケーには団子も供え、これはウンケーダーグ（御迎え団子）とよびます。直径2センチほどの白玉団子を7個ずつ皿にのせたものを一対、計14個お供えしますが、家庭によってはウークイダーグ（御

14日の昼食には冷そうめんを供える家庭が多いようです。

送り団子）といって最終日のウークイ（御送り）の供え物とする場合もあります。ただし、いずれの場合も作りかたや供えかたに大きなちがいはありません。

ナカヌヒーのウトゥイムチ

旧暦7月14日はナカヌヒー（中の日）などといい、仏壇に朝、昼、晩の食事などを供えます。昼食には冷そうめん、あるいはそうめんの吸物、3時のおやつにはチンヌク（里芋）やターンム（田芋）などの芋をふかして輪切りにしたものがよく供えられますが、そのほかにはとくにきまった献立はなく、適宜ご先祖様が喜ばれそうなものを差し上げればよいでしょう。この日にかぎらず、盆の期間中に食事など供える場合は、線香3本を立てて「どうぞお召し上がりください」と手を合わせます。

また、「御中元」と表書きした供え物をたずさえて親元や親類宅を訪ね、ご先祖様に手を合わせるのも、おもにナカヌヒーとなります。

ウークイに供えられたチュクン（一組）の料理と餅。

なごりを惜しみつつウークイ

15日も前日と同じく、朝からお茶や食事などを供え、晩にはウークイ（御送り）の儀礼をおこなってあの世へ帰られるご先祖様を送ります（ただし、16日にウークイをおこなう地域もあります）。昔から、ウークイは夜遅いほどよく、ご先祖様を追い立てるように早々と済ませてしまうのは不孝とされています。

ウークイは一家全員がそろっておこない、その手順は、まずジューバクを一組（料理と餅を2箱ずつ）仏壇に供えておき、主人か年長者などが線香12本（ヒラウコー2枚）を立て、「これからウークイをさせていただきます」と唱えて拝みます。それに続き全員が各自線香3本（ヒラウコー2分の1枚）を供え、「また来年もお越しくださいませ」と合掌します。

そのあと少し間をおいて、主人や年長者などがウチカビを焼いて供えます。枚数や供えかたなどは「シーミーのはなし」ですでにご紹介

ウークイのとき、門の前にご先祖様のおみやげの品を出します。

供養する者のいない亡者への施しの品といわれる、ミンヌクーを供える家庭もあります。

したとおりですが、仏壇の前で供える場合は、水を少し入れた金属製の鉢などの中で焼きます。ウチカビを焼き終えましたら、供えてあるジューバクや果物などから適宜一片ずつを取って鉢の中に入れ、続いて花、お茶、線香の燃えさし、ガンシナなども仏壇から下げてここに入れます。これがご先祖様のあの世へのチトゥ（お土産）となります。

このあと全員で門まで出て、鉢の中のお土産をクワズイモの葉（近ごろはアルミホイルで代用することも多いようです）で包んだものやグーサンウージを門前に置き、門の外に向かい一同で合掌してご先祖様をお送りします。

ウークイの儀礼がすべて済みましたら、すぐに仏壇の供え物や提灯などを片づけ、ハナイチにはチャーギやクロトンの葉を生けて、手早くふだんの状態に戻すようにしましょう。

ヤシチヌウグヮンのはなし

意味と時期

屋敷内のさまざまな場所を拝んでまわるヤシチヌウグヮン（屋敷の御願）は、家族の暮らす家屋敷を守ってくださる神々に感謝し、家族の健康や安全、一家の繁栄などを願うとともに、神々の力によって邪気をはらい、屋敷を清める儀礼です。

多くの場合、旧暦の2月と8月の年2回、またはこれに12月を加えた年3回おこないますが、そのうち、2月は春の彼岸、8月は秋の彼岸までに済ませるようにします。また、12月のウグヮンは、ムーチーウユミ（12月8日、あるいは7日など）のあと、24日までの間に日取りを

屋敷の四隅を拝みます。

古い屋敷の一角にあるカー（井戸）。

することが多いようです。

どこをどう拝むか

拝む場所は、台所のヒヌカン、屋敷の四隅《よすみ》、門、屋敷の中心部であるナカジンの7か所が基本で、このほか、床《とこ》の間、仏壇、井戸、フンシ（屋敷の神をまつる祠《ほこら》）などがあれば、これらも拝みます。

屋敷の四隅と門は、屋敷内から外側に向かって拝みます。四隅は、北、東、南、西の順に拝むことが多いようですが、2月と8月では順序を逆にされる方もあります。いずれにせよ、北に近い隅からはじめ、時計回りか反時計回りに四隅を回るとよいでしょう。ナカジンは、玄関先や縁先などの戸外から建物に向かって、屋敷の中心を目がけるよう拝みます。また、かつてはフール（豚舎《とんしゃ》兼便所）のある家庭はここも拝んだため、現在もそのかわりにトイレを拝むことがあるほか、トゥハシルあるいはトゥハシリといって、玄関や縁側から屋外に向かって拝

フンシとよばれる屋敷の神をまつる祠。

ナカジンは、母屋の外側、縁先あたりから屋敷の中心に向かって拝みます。

むご家庭もあります。

　拝む順序の一例を示しておきますと、①ヒヌカン、②仏壇、③床の間、④フンシ、⑤屋敷の北の隅、⑥屋敷の東の隅、⑦屋敷の南の隅、⑧屋敷の西の隅、⑨井戸、⑩門、⑪玄関（トゥハシル）、⑫ナカジン、⑬トイレ（フール）というようになり、これをもとに、仏壇や床の間、フンシがなければ①のヒヌカンの次に⑤の屋敷の北の隅を拝むというように、各家庭の実情にあわせて適宜加除をおこなえばよいでしょう。

現代的な事情あれこれ

　賃貸アパートや借家の場合、屋敷は自分の所有ではないため、ヤシチヌウグヮンはしなくてよいともいいますが、実際に住まわせてもらっているのだから神々への感謝はすべきという方もあり、人により考えかたはまちまちです。さらに、分譲マンションの四隅《よすみ》は敷地の隅か部屋の隅かという問題などは、前例をたずねても正解はなく、それぞ

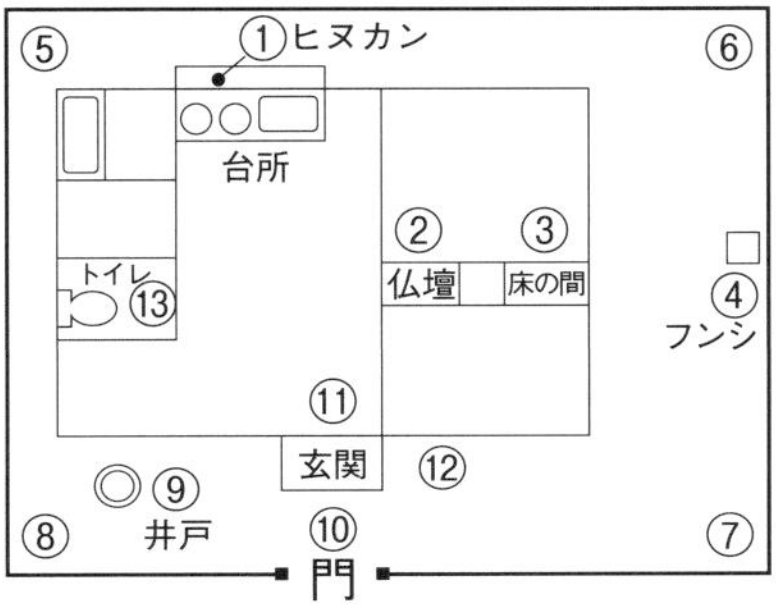

一般的な住まいでヤシチヌウグヮンに拝む場所。

れの解釈で納得のゆく方法を選ぶほかないようです。

また、玄関は内から外を向いて拝むのか、それとも外から内を向いて拝むのかというご質問もよくあるのですが、これはどのような意味で拝んでいるのかによって、答えはかわってきます。つまり、ナカジン（屋敷の中心）として拝むなら、外から内に向かうのですが、門のない住まいで門のかわりに玄関を拝む場合や、建物の出入口付近を拝むトゥハシルの意味なら、内から外に向かうことになるわけです。

基本的な供え物

ヤシチヌウグヮンのもっとも基本となる供え物は、酒（泡盛を入れた徳利《とっくり》2本、盃《さかずき》1個）、ハナグミ（生米を小皿などに入れる）、ウチャヌク（大、中、小3段重ねの白餅3組）か饅頭《まんじゅう》などの菓子（9個）で、これらを一枚の盆にのせます。盆の向こう側の中央に盃、左右に徳利を1本ずつ並べ、その前にハナグミを配置します。そして、手前側には半紙を長辺

ウチジフェーシの小餅がついた市販のウチャヌク。

で2つ折りにして横長に敷き、その上にウチャヌク（菓子の場合は3個ずつ重ねたもの）3組を横一列に並べます。これを持って屋敷内を回りますので、取手や足の付いた盆を選ぶと持ち運びに便利です。なお、箱型のビンシーをお持ちでしたら、酒とハナグミを入れたビンシーを盆にのせて使われてもかまわないでしょう。

　また、盆にのせた供え物一式とは別に、拝む場所の数に合わせて、ヒラウコー（黒い板状の線香）とシルカビ（書道用の半紙を切り分けたもの）を用意します。ヒラウコー12本（2枚）または15本（2枚と2分の1枚）をシルカビ1組（3枚）の上にのせたものが1セットで、これを1か所に1セットずつ供えるのがもっともシンプルな方法ですが、1か所につき3セットずつ供える方も多いようです。

　なお、これらの品々とともに、果物（バナナ、りんご、みかんなど）、ジューバク（重箱に詰めた料理や餅）、塩、ウチカビなどを供えるご家庭もあります。

屋外では、シルカビとヒラウコーを重ねた上に小石をのせるとよいでしょう。

ヒラウコーの供えかた

　ヒヌカンや仏壇などを拝むときには、ヒラウコーに火をつけてウコール（香炉《こうろ》）に立てますが、屋敷の四隅や門、ナカジンなど、屋外でとくにウコールのない場所では、まずシルカビを3枚重ね、拝む人から見て縦長になるよう地面に置き、その上にヒラウコーを拝む人から見て縦向きに寝かせてのせます。このとき、12本（2枚）は2枚を重ねて置くようにし、15本（2枚と2分の1枚）の場合でしたら、2分の1枚はこの2枚を重ねた上にのせるか、脇に添えるように置きます。

　風の強いときなどは、飛散を防ぐため、シルカビとヒラウコーを重ねた上に小石をのせておきます。また、ヒラウコーに火をつける場合は、風の有無にかかわらず、まずシルカビを地面に置き、その上に小石をのせ、この小石を枕にするようにしてヒラウコーを寝かせます。こうしますと、火のついた部分がシルカビに直接ふれませんから、拝みの途中でシルカビが焼け焦げたり、ヒラウコーの火が消えたりする

膳にのせられた一対の徳利と盃、ハナグミとウチャヌク。

ことがありません。

なお、四隅や門などの屋外で拝む際、ヒラウコーに火をつけるかつけないかは家庭によってまちまちですが、井戸だけは火をつけずに拝むのが古くからのならわしです。

盃の酒は一対の徳利から注ぐ

拝む場所にシルカビとヒラウコーを並べましたら、その正面手前に供え物をのせた盆を置き、盆にのっている盃に徳利から酒を注ぎ入れます。このとき、盃へは必ず2本の徳利の両方から酒を注ぐようにしますが、これは、2本一対の徳利で供えた酒を一つの盃に注ぐことは、夫婦の和合や陰陽《いんよう》の調和をあらわすとされるためです。ご年配の方が唱えられる祈願の言葉には、「ナンジャビンス、クガニビンス（銀の瓶、金の瓶）」と、この一対の徳利を美しく表現したものもあり、この点からも重要な供え物であることがうかがえます。

近ごろは、市販の泡盛のボトルを1本持ち歩き、これからじかに盃に注いだり、徳利ではなく2個のコップに酒を入れて供えたりされる方もあるようですが、やはり酒は一対の徳利でお供えをしたいものです。

祈願のときに唱える言葉

シルカビ、ヒラウコーを並べ、供え物をのせた盆をその前に置き、盃に酒を注ぎ、準備がととのいましたら、手を合わせ深々と一礼をしてから、祈願の言葉を唱えます。

ヤシチヌウグヮンで唱える言葉は、家庭により、人により、さまざまなバリエーションがありますが、その内容はおおむね次のようなものです。

祈願の言葉

ウートートゥ。今日のよき日に、【2月、8月、12月のいずれか】のヤシチヌウグヮンを申し上げます。【夫や父の生まれ年の十二支】の男と【妻や母の生まれ年の十二支】の女からのお願いでございますので、なにとぞお聞き届けくださいませ。

家族全員に何の災《わざわ》いもなく、日々すこやかに暮らせますのも、尊い神様のお力のおかげでございます。たいへんありがとうございます。

今日は、お供えの品をととのえて祈願をいたしますので、この屋敷の四隅《ユシン》、八隅《ヤシン》、ナカジン、御門《ウジョー》を固くお守りいただき、悪い風、汚《けが》れた風は、屋敷の外へと押しのけてくださいまして、引き続きまして家族全員に何の災いもなく、すこやかに日々の暮らしを営ませていただき、代々にわたりこの屋敷で一家を繁栄へとお導きくださいますよう、お願い申し上げます。

心からのお願いでございますので、たとえ言葉の不足などございましても、どうか大きなお心でお許しをいただき、祈願の趣旨をお聞き届けくださいますよう、お願い申し上げます。ウートートゥ。

※【 】の部分には、それぞれ適当な言葉を入れて唱えます。

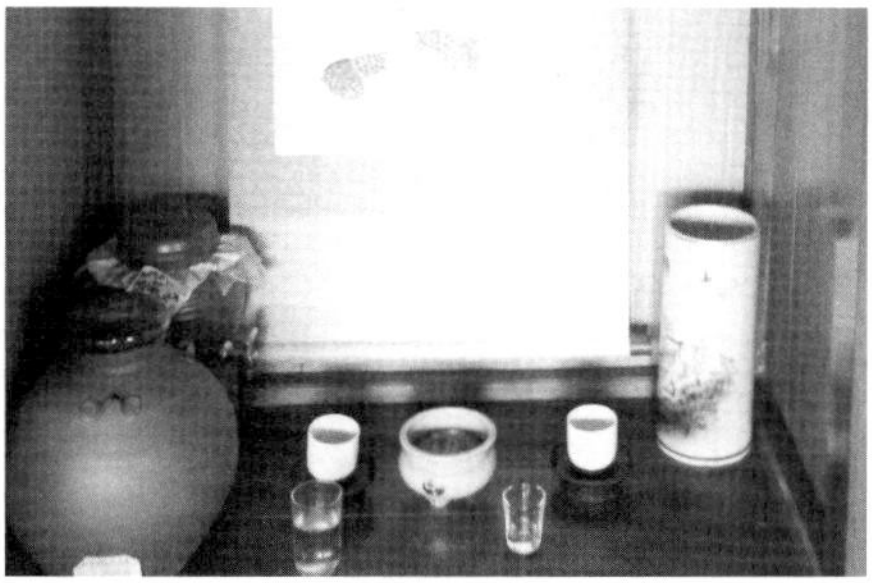

トゥクヌカミ(床の神)といって、床の間を拝む家庭もあります。

唱える言葉についてのあれこれ

ご紹介した祈願の言葉の最初と最後にある「ウートートゥ」というのは、「ああ尊い」というような意味で、沖縄では神仏やご先祖様を拝むときに唱えるきまり文句です。

2月、8月、12月いずれのヤシチヌウグヮンでも、唱える内容に大きなちがいはありませんが、12月には「家族全員、何の災いもなく、日々すこやかに暮らせますのも」を、「この一年の間、家族全員、何の災いもなく、日々すこやかに暮らせましたのも」などと、一年の加護を感謝するかたちに言いかえるようにします。

なお、誰が拝んでいるのかを知らせなければ祈願が通じないとして、住まいの番地を唱える方も多いのですが、近代以降に定まった番地を唱えるのが伝統的でないことは確かですから、それほど深く気にされる必要はないでしょう。

旧暦8月には、ヤシチヌウグヮンで屋敷内を清めたあと、シバサシをします。

方言で祈願しないと通じないのか

ヤシチヌウグヮンにかぎらず、古くからおこなわれている折目節日《ウユミシチビ》などで唱える祈願の言葉は、方言でなくてはいけないのか、というご質問をよくお受けします。

これについては、さまざまな意見があるのでしょうが、私はいつも「本来は方言で唱えるべきとは思いますが、それにこだわりすぎる必要はないでしょう」とお答えしています。なぜなら、祈願の言葉もやはり言語ですから、誤った方言では神仏やウヤファーフジ（ご先祖様）にその意味がきちんと伝わらないおそれもあります。それよりはむしろ、きちんと使いこなせる言葉を使い、心をこめて日ごろお守りいただいていることへの感謝や願いごとなどを正確に伝えられたほうがよいと考えるからです。

方言のグイスにもチャレンジを

ただ、祭祀儀礼は形式が重視されますから、本来のかたちである方言での祈願ができる方が身近においででしたら、ぜひその方に習って方言を使われることをおすすめします。これは、県内の各界で推し進められている「しまくとぅば」の継承という点でも大きな意義のあることといえましょう。

方言では祈願の言葉のことをグイスなどといいますが、とりあえずその一例をご紹介しておくことにします（内容は128ページでご紹介しておいたものと、おおむね同じです）。

ウチナーグチでの祈願の言葉

ウートートゥ、チューヌ　ユカル　フィ　チューヌ　マサルフィニ、【ニングヮチ（2月）、ハチグヮチ（8月）、シワーシ（12月）のいずれか】ヌ　ウヤシチヌ　ウグヮン　ウサギヤビラ。

【夫や父の生まれ年の十二支】ディーソーイキガ　ウムシビ【妻や母の生まれ年の十二支】ディソーイナグカラヌ　ウニゲーシジ　ウンヌキヤビークトゥ、ウキトゥイジュラサ　ウンヌカイジュラサ　ミソーチウタビミシェービリ。

ウヤシチヌ　ウカミ、ユシン　ヤシン　ウナカジン　ウジョーウマムイ、ウイチチジュラク　ウタビミソーチ、ヤナカジン　シタナカジン　ウシヌキティ　ヌークトゥサビン　ネービラングトゥ、ウカクイジュラサ　ウママムイジュラサ　ウタビミソーチ、クヌヤシチウトーティ　ヤーニンジュ　シーサケー　ウフィルギシミラチウタビミソーリ。

ウムンジティ　グニンジフドゥ　タティティウヤビークトゥ、フスクブスコー　ウナガミ　ウトゥンソーチ　ウタビミソーチ、ドーディン　クヌウニゲーシジ　ウキトゥティ　ウタビミシェービリ。ウートートゥ。

※【　】の部分には、それぞれ適当な言葉を入れて唱えます。

十二支のウチナーグチ……ニー（子）、ウシ（丑）、トゥラ（寅）、ウー（卯）、タチ（辰）、ミー（巳）、ウマ（午）、フィチジ（未）、サル（申）、トゥイ（酉）、イン（戌）、イー（亥）

最後はハナグミと酒を

祈願の言葉をひととおり唱え終えましたら、再び深く一礼し、シルカビとヒラウコーの上に、指先でつまんだ少量のハナグミをまくことを3回くり返し、続いて盃の酒を3回に分けてかけます。

ヒラウコーに火をつけて拝む場合は、屋外ならば祈願の言葉を唱えたあと、マッチやライターでシルカビに火をつけ、その炎の上にハナグミと酒をふりかけますが、屋内ではヒラウコーに火をつけても、シルカビは燃やさないのが一般的です。

このようにして一か所での拝みが済みましたら、次の場所へと移ります。供えたヒラウコーやシルカビの片づけについてですが、悪いものをはらい清めるのに使ったものですから、屋敷の隅や門など屋外から回収したものは、家の中へは持ち込まずに処分するようにしましょう。

家庭の数だけあるウグヮンのかたち

家族の健康や一家の繁栄を願ってヤシチヌウグヮンをしたいとお考えの方は、結構多いようです。しかし、若い世代はもとより、50代、60代の方からも、どのような供え物をととのえ、どのような手順で進めればよいのか、まったくわからないといった声がよく聞かれるのも実情です。このような場合、身近なご年配の方に指導を仰ぐのがいちばんよいのですが、そういった頼りになる方がおいでにならないようでしたら、ここでご紹介したことや、近ごろいくつか刊行されている年中行事のマニュアル本などを参考にされるのも一策でしょう。

ただ、ほかの行事にもいえることですが、唯一の正解という意味での「正しいヤシチヌウグヮン」というものはもとより存在しませんので、これまでのわが家のヤシチヌウグヮンが本などに書かれたものとちがうからといって、あわてて改める必要はとくにないことを、念のため申し添えておきたいと思います。

沖縄の供え物あれこれ

ヒラウコー

ヒラウコーは、黒色の線香を6本横に並べてつなげた形をした、長さ14センチ、幅2センチほどの細長い板状の線香です。

沖縄ではもっとも一般的な線香で、その平たい形からヒラウコー（平御香）というほか、黒い色からクルウコー（黒御香）、沖縄独特の線香であることからシマウコー（「シマ」は地元のものという意味）ともよばれます。

沖縄本島一帯では、カー（井戸や湧き水）やウタキ（御嶽）などの屋外の聖地にヒラウコーに供える場合は火をつけないのがならわしで、これはヒジュルウコー（ヒジュルは「冷たい」の意味で、火をつけない状態をあらわします）、カラゴーなどとよばれます。

ヒラウコーには独特の数えかたがあり、1枚はチュヒラ（一枚《ひとひら》）、また6本の線香を並べた形をしているため6本ともいい、1枚を筋に沿って半分に割ったもの（2分の1枚）は3本と数えます。行事や供える対象、祈願の内容により、供える本数には一定のルールがあり、これをコーブンといいます。

一般的な年中行事で供えるコーブンは、おおむね次の3種類です。

①3本（2分の1枚）
シーミー（清明祭）やシチグヮチ（盆）、スーコー（法事）など多くの人が集まる行事で各人がそれぞれ供える本数で、各人から神仏、祖先へのお供え、あいさつの意味があります。3という数は、天、地、人、または天、地、竜宮（海）を表すとされます。

②12本（2枚）
十二支、1年12か月を表すとされ、暦にもとづいておこなう年中行事や、チータチ・ジューグニチ（旧暦の毎月1日と15日）に供えるコーブンです。おもに行事を取り仕切る人がヒヌカン（火の神）や仏壇に供えます。

③15本（2枚と2分の1枚）
ウタキやカーといった聖地を拝む際、あるいはヤシチヌウグヮン（屋敷の御願）など、おもに祈願ごとに用いることの多い本数です。チータチ・ジューグニチに、ヒヌカンには15本を供える方も多いようです。行事の12本に、祈願する人自身の分である3本を加えたものと思われ、これは、15本のコーブンがジューニフンサンブン（12本と3本）とよばれることにもあらわれています。

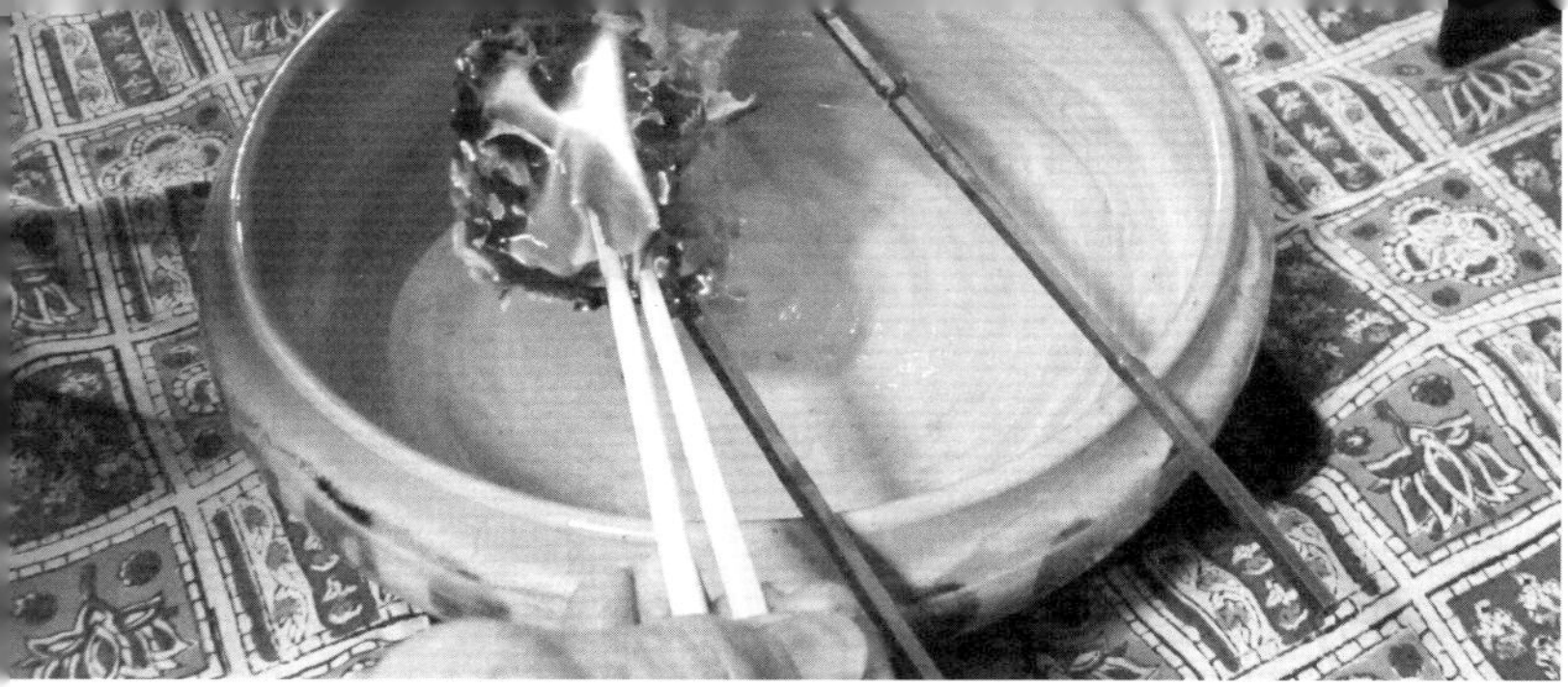

彼岸のはなし

日本から伝わった行事

彼岸《ひがん》とよぶ行事は、「春の彼岸」、「秋の彼岸」などといって1年に2回、旧暦2月と8月にあることは、多くの方がご存じのことと思います。そして、春の彼岸は春分の日とその前後3日、秋の彼岸は秋分の日とその前後3日、それぞれ計7日のうちに適当な日を選びおこなうことは、沖縄も他県もほぼ同じです（ただ、沖縄では、春秋のいずれか一度のみおこなう地域もあります）。

彼岸とはもともと仏教の言葉で、煩悩《ぼんのう》と迷いに満ちたこの世を、こちら側の岸という意味で「此岸《しがん》」、これに対して悟《さと》りの世界をあちら側の岸、「彼岸」といいます。そこから、悟りに達するための修行期間を彼岸というようになりましたが、日本に伝わると、やがて家ごとに祖先をまつる行事へと変化していきました。

すなわち、彼岸に祖先を供養する習俗は日本発祥、そして独自のものなのです。ちなみに、秋分の日は現行の法律でも「祖先をうやまい、なくなった人々をしのぶ」（国民の祝日に関する法律　第2条）ための日とされています。

さらに沖縄的なアレンジも

沖縄の彼岸も、家ごとにウヤファーフジ（ご先祖様）に供え物をしてまつる行事で、仏教の悟りとかかわるような話はとくに聞かれませんから、日本の民間行事である彼岸が導入されたもののようです。

しかし、他県では僧侶を招いて読経《どきょう》をお願いすることがあるのに対し、沖縄ではそのような風習もないことや、仏教ではタブーとされて

現在もっとも一般的なタイプのウチカビ。古い時代の貨幣を模した型が打ち付けられています。

いる肉や魚、酒を供えるなど、日本以上に仏教色の薄い行事へと変化をとげています。また、沖縄では仏壇に供え物をして拝むのみで、他県では彼岸といえばつきものであるお墓参りをおこなわないことも、大きなちがいといえましょう。

さらには、門中の行事としてムートゥヤー（宗家）だけでおこない、各家庭では彼岸をおこなわないという地域もありますから、この行事にはかなり沖縄的なアレンジが加えられていることがうかがえます。

あの世のお金を供える行事

彼岸は、沖縄でも他県と同じくヒガンというほか、その転訛《てんか》であるヒガン、ピガン、ピンガンとよぶ地域が多いのですが、これとは別に、ンチャビ（御紙）やカビアンジ（紙炙《あぶ》り）といったよびかたをされることもあります。ンチャビとは、グソーヌジン（後生《ごしょう》の銭）、すなわちあの世のお金とされるウチカビ（打紙）の別名で、これを焼いて供

かつて多くの家庭で使われていた、ウチカビの銭型を打ち付ける道具。

えることをカビアンジというのですが、沖縄では、ウチカビが彼岸の重要な供え物とされてきたため、やがて行事じたいの名前にもなったというわけです。

ただ、ウチカビを焼いて供える習慣は中国から伝わったものですから、日本から導入した彼岸の行事に中国由来のウチカビを焼くというのは、仏教色を薄めたことと並んで、沖縄のンカシンチュ（昔の人々）によるアレンジということになりましょう。

一組は5枚と3枚の2パターン

現在市販されている一般的なウチカビには、直径1・5センチほどの円の中央に四角が入った型が、縦に10、横に5ずつの計50個、全面に打ち付けられています。もとは、20センチ四方のごく薄手の黄色の紙で、それを何枚か重ねて2つ折りにし、「型を打ちつけた紙」であることから、ウチカビとよばれるわけです。この型は、近代以前に沖

現行紙幣そっくりなものや金色の箔を押したものなど、現代的なウチカビ。

縄で使われていた、ミーフガージン（孔《あな》あき銭）とよばれる貨幣の形を模したものです。

市販のウチカビは、一組が5枚重ねになっていますが、供えるときにはこれをそのまま使う場合と、3枚重ねで一組とする場合とがあります。このうち、5枚を一組とするのは、首里や那覇、そしてこれらの地域にルーツを持つご家庭に多く、それ以外の地域では3枚を一組として供える例が多いようです。また、ウヤファーフジ（ご先祖様）の位牌をまつってある家の分としては5枚を焼き、世帯を別にする次男や三男、女子などからは3枚ずつというふうに、供える人によって枚数に差をもうけているご家庭もあります。

このように、地域や家庭ごとにいくらかのちがいはあるものの、供えることのできるウチカビの枚数には、一定のきまりがありますから、「いくら焼いても贈与税はかからないから」などといって、束になった大量のウチカビを一度に焼くような、イチミ（この世）ばかりに都

ハンクン（半組）のジューバク。

合のよい送金は、やはりむずかしいようです。

メインのご馳走は料理と餅

彼岸では、揚げものや煮しめなどの料理（チャワキやカティムンなどともよばれます）を盛り合わせたもの、白餅やあん餅などの餅、そしてウチカビがもっとも重要な供え物となります。そして、これらとともに、ご飯と汁物などをのせた膳、果物や菓子などを供えることもあります。

料理と餅からなる、一般にジューバクとよばれる供え物は、内容的にはシーミー（清明祭）などで重箱に詰めて供えるものとかわりませんが、彼岸には重箱ではなく皿に盛ってお供えするご家庭もあります。

料理と餅は、重箱に詰める場合なら料理2段、餅2段の計4段、皿盛りなら料理2皿、餅2皿の計4皿を「チュクン」（一組）といって、これが正式な数量となります。そして、その半分にあたる料理1、餅1のセットは「ハンクン」（半組）、または片方を意味する「カタシー」「カタカター」などといい、こちらはチュクンに対して略式のお供えと考えられています。なお、彼岸に供える料理と餅は、ハンクンとするご家庭が多いようです。

ジューバクの料理の供えかた

「シーミーのはなし」で詳しくご紹介しておきましたが、ジューバクの料理は、大きく次の3つに分けられます。

①揚げもの

揚げ豆腐、魚のてんぷら（白身を四角の棒状に切る）、さや豆のてんぷら、田芋の揚げもの（素揚げしたあと砂糖醤油をからめる）など。

②煮しめ

三枚肉（皮付きのばら肉）やボージシ（ロース肉）などの豚肉、昆布（結んだり返したりして形を作る）、ごぼう、大根（四角の棒状に切る）、こ

彼岸の供え物。仏壇にジューバクや食事などを供え、ウチカビを焼きます。

んにゃく（長方形に切って中心部に切込みを入れ、片方の端をくぐらせる。他県では「手綱《たづな》こんにゃく」とよぶ形）など。

③かまぼこ

赤かまぼこ（喪中の彼岸の場合は白かまぼこ）、カステラかまぼこなど。

現在、一般的にはこれらの料理のうち、豚肉、昆布、赤かまぼこ、揚げ豆腐の4品を基本に、好みにより適宜何品かを加え、5品、7品、9品というように、奇数の品数をすき間なくひとつの器に盛り込みます。なお、文様や家紋の付いた重箱や、絵柄に上下のある皿など、前後左右が定まっている器を使われる場合は、料理や餅を盛る前に器の向きをきちんと確認しておきましょう。

近年はオードブルや寿司も

彼岸にかぎらず、もともとジューバクを供えるのが習わしとされて

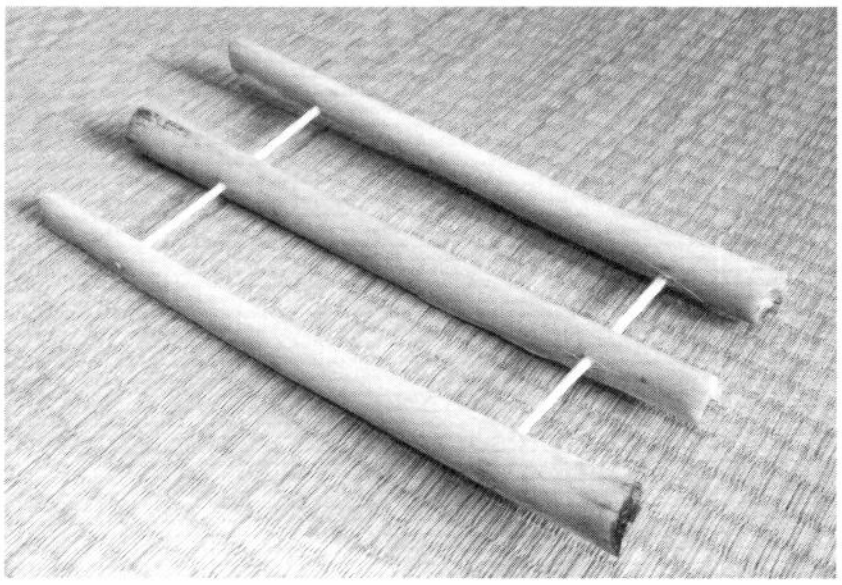
かつては、芭蕉の葉の茎で作ったアブイクーをのせた器の上でウチカビを焼き供えました。

きた年中行事でも、近ごろでは、豚三枚肉の煮しめやかまぼこといった伝統的な料理にかわり、和洋さまざまな料理を盛り込んだ、一般にオードブルとよばれるものを供えることも多くなりました。そして、料理と対をなす餅についても、菓子や寿司などに置きかえる傾向がみられます。

すでにご紹介しましたとおり、彼岸をンチャビ（ウチカビの別名）ということもあるほど、ウチカビは彼岸のもっとも重要な供え物とされますが、沖縄本島とその周辺地域では、ウチカビを焼くことができるのは、ジューバクやそれに準ずるものを供える行事にほぼかぎられますので、料理と餅、あるいはそれにかわるオードブルや寿司のたぐいも、彼岸には欠くことのできない供え物といってよいでしょう。つまり、料理と餅のセットとウチカビは、彼岸の必須アイテムということなのです。

なお、八重山では、野菜、肉、豆腐などの味噌煮と餅、酒などの供え物一式をカビヤキムヌ（ウチカビを焼くための供え物）といい、彼岸を

ウチカビを焼くための焼物の鉢。

はじめウチカビを焼く行事には、必ずこれを供えることとされていました。

そのほか供え物いろいろ

ご飯や汁物などをのせた膳は、箸を添え、膳の正面手前を仏壇の側に向けてお供えします。彼岸の膳には、ご飯（白米もしくは赤飯が一般的です）と汁物を必ず供えるというほかは、とくに細かなきまりごとはありませんから、季節の食材などを取り入れ、適宜お作りになってかまいません。

菓子は、沖縄ではもともと一般家庭の彼岸では、必須の供え物とはいえないようですが、餅のかわりとして、子供たちに喜ばれる和洋さまざまな菓子類を供えることが多くなったほか、他県の風習にならい、ぼた餅やおはぎなどをお供えするご家庭もおありのようです。また、果物についても、彼岸の供え物としてはとくに伝統的なきまりごとはありませんので、菓子と同様、それぞれのご家庭のお好みでお供えになればよろしいでしょう。

それから、仏壇のハナイチ（花生《はないけ》）はよく洗ってから新しい花や葉物を生けなおし、ふだんから供えてあるウチャトー（お茶）や酒も、湯のみや盃《さかずき》を洗い清め、新しいものに取りかえておくことも忘れないようにしたいものです。

儀式のすすめかた

仏壇の前に供え物を並べ、ひととおり支度をととのえましたら、家族そろって彼岸の儀式をすすめましょう。

まず、一家の主人か年長者などが、線香12本（ヒラウコー2枚）を立て、「彼岸のお供えをさせていただきます」と唱えて拝みます。それに続き、家族一人ずつ、それぞれ線香3本（ヒラウコー2分の1枚）を供えて合掌し、ご先祖様を拝みます。

市販のステンレス製の「うち紙焼き器セット」は、近ごろでは多くの家庭で使われるようになりました。

全員が拝み終えたのを見はからい、主人や年長者が、あの世のお金であるウチカビを焼きます。彼岸の行事を、ウチカビの別名であるンチャビとよぶ地域もあるほど、ウチカビが彼岸の行事でもっとも重要な供え物とされていることは、さきにご説明申し上げたとおりです。

仏壇の手前正面に、水を少し入れた鉢（金属製のボウルなど）などを用意し、ウチカビは5枚ないし3枚を一組として、まず両手に持ちおしいただいてから、箸などではさみ、端のほうに火をつけます。これがほぼ燃えきったところに、杯に注いでおいた酒を3回に分けて注ぎかけます。

ウチカビの焼きかた

ウチカビは、まずウヤファーフジの位牌をおまつりされている家の主人が供える分から焼きはじめます。そしてそのあと、次男や三男、女子など、親元から独立した人からのウチカビを焼きますが、このよ

八重瀬町東風平の彼岸の日を知らせる貼り紙。地域で彼岸の日を定め、一斉におこなうところもあります。

うに、位牌をまつる家とは別に所帯をもつ人からウチカビを供える場合、ウヤファーフジに対して各自供え物を持ち寄るのがならわしです。なお、近ごろでは、供え物のかわりに供物料としてお金を供えることもあるようです。

ウチカビを焼き終えましたら、彼岸の儀式はひととおり完了です。なお、盆のウークイと同じように、供え物のウサンデー（お下がり）のうちいくつかを、ウチカビを焼いたあとの鉢に入れ、これを門の外にこぼすご家庭もありますが、彼岸では鉢にウサンデーなどを入れずに、焼いたウチカビの灰と水を、庭先など適当な場所に流して済ませることが多いようです。

なお、彼岸のお供えを「ワタクシグヮー」と表現される方もおいでになりますが、ワタクシグヮーとは本来「へそくり」という意味で、これは、彼岸に供えるウチカビはウヤファーフジの小遣いになるといわれることに由来するものです。

沖縄の供え物
あれこれ

ウチカビ

　ウチカビは、グソーヌジン（後生《ごしょう》の銭）ともよばれ、ご先祖様があの世で使うお金とされるものです。

　縦横20センチの正方形をした薄手の黄色い紙を2つに折ったものに、銭形（正方形を円形で囲んだ形）が縦10、横5の計50個、全面に並べて打ち付けられています。この銭形は、沖縄の古い貨幣であるミーフガージン（孔《あな》あき銭。鳩目銭《はとめせん》）をかたどったものです。

シーミー（清明祭）やシチグヮチ（盆）、春と秋の彼岸といった年中行事や、スーコー（法事）に、仏壇や墓の前で火をつけて焼き、最後に炎に酒（泡盛）をふりかけます。紙で作ったお金を焼いて供えるしきたりは中国から伝えられたもので、日本では他の地域にはみることのできない独特の習俗です。

　ウチカビ（八重山地域ではウチンガビなどといいます）とは、銭の形を打ち付けた紙という意味で、現在では銭形が打たれた状態の製品が市販されていますが、かつては金属や木製の型を使って銭形を打ち付け、行事のたびに各家庭で作っていました。このほか、カビジン、アンジカビ、ンチャビなど、多くのよび名があり、カビジン（紙銭）は紙の銭、アンジカビはアンジが「炙《あぶ》り」で、焼いて供える紙を意味します。ンチャビは御美紙や御紙と表記され、「紙」を丁寧に言ったものです。

　何枚かを重ねて1組としたものを供えますが、1組には5枚と3枚の2種類があります。3枚はおもに旧農村部、5枚は首里や那覇などを中心に旧士族系の家庭に多いようですが、5枚を1組とする家庭でも、その家の当主は5枚、分家した次男や三男、女子などは3枚と、供える人によりに差を設けることもあります。法事の場合の供えかたは年中行事とは異なり、これも地域や家庭によりいろいろなパターンがありますが、一例を挙げると、ナンカ（七七忌）にはまず1組を供えたあと、ハチナンカ（初七日）には1組、イチナンカ（五七日）には5組と、ナンカの回数と対応する組数のウチカビを続けて供えます。そのあと、家族からのワタクシ（小遣い）として各人3枚ずつ供えていくという具合です。

沖縄の年中行事（旧暦1月〜12月）

ソーグヮチ 旧暦1月

◉ソーグヮチチータチ・グヮンジチ（1月1日）

年のはじめを祝う行事。グヮンジチとは元日のことです。

各家庭の門口に松の小枝と竹を立て、床の間や仏壇、ヒヌカンにはアカカビ（赤・黄・白の3枚の紙）を重ね敷き、その上にハナグミ（生米）、タントゥクブ（木炭に昆布を巻いたもの）、クガニクニブ（黄色のみかん）などを飾ります。早朝に集落のウブガー（産湯を汲む井戸や湧き水）などで汲んだ水をワカミジ（若水）といい、仏壇やヒヌカンに供えて一年間の家族の息災と繁栄を祈願しました。若水をハチミジ（初水）、ミーミジ（新水）とよぶ地域もあります。元日にはじめて迎える客は男性が縁起がよいとされ、年始回りは男性がおこないました。

古くからの沖縄の正月という意味で、旧暦の正月はウチナーソーグヮチ（沖縄正月）、これに対して近代以降に日本の一県となってから導入された新暦の正月は、ヤマトゥソーグヮチ（大和正月）とよばれました。近年は、沖縄でも新暦の正月が中心となっていますが、糸満市糸満など、もともと漁業のさかんだった地域を中心に、今も旧暦の正月を祝う風習が残されています。

◉トゥシビー（1月2日から13日まで）

年祝いの行事。旧暦の正月2日以降最初に訪れる、その人の生まれた年と同じ十二支の日（たとえば子《ね》年生まれの人は子の日）に仏壇やヒヌカンに供え物をして一年の息災と健康を祈願し、家族や親族で祝宴を設けます。とくにウマリドゥシ（生まれ年。12年ごとに訪れる生年と同じ十二支の年）にあたる数え年13、25、37、49、61、73、85歳の人のトゥシビーは盛大に祝います。なお、ウマリドゥシのうち、97歳のカジマヤーのみは旧暦9月7日に祝われます。

近年は、旧暦の正月以降の休日などに合同生年祝を催し、地域のウマリドゥシの人のトゥシビーを一斉に祝うこともあります。

◉ハチウクシー・ハチバル（1月3日ごろ）

一年の豊作や豊漁、商売繁盛や仕事の安全などを祈願する、仕事始めの儀礼。農家ではハチバル（「ハル」は畑で、その年最初の畑仕事という意味）といい、この日は一家の主人が畑に線香や酒を供えて拝み、何度か鍬《くわ》を打つ所作をする程度で、実際の農作業はしないことが多かったようです。

現在でも、企業の年始式や初荷などをハチウクシー（初起こし）とよぶことがあります。

◉ハチウビー・カーウガミ（1月3日ごろ）

村落や門中単位で、集落内のカー（井戸や湧き水）などを巡拝し、一年の無事と繁栄を祈願します。ハチウビーのウビーとは「御水」の意味です。

◉ナンカヌスク・ナンカヌシーク・スクノーシ（1月7日）

仏壇やヒヌカンの正月飾りを下げ、野草を入れて炊いたジューシー（雑炊《ぞうすい》）を仏壇に供える家庭もあります。

古代中国では、この日は人の一年の運気を占う「人日《じんじつ》」とされ、日本では江戸時代に幕府が五節供《ごせっく》のひとつと定めました。他県では春の七草とよばれる七種の野草を入れて炊いた七草《ななくさ》がゆを食する習慣があるため「七草の節供」ともいいますが、ナンカヌスクの「スク」も「節供《せっく》」の転訛です。

◉ソーグヮチグヮー・ジューグニチソーグヮチ（1月15日）

各家庭で仏壇に揚げものや煮しめなどを供えます。旧暦1月の望《ぼう》（満月の日）であるこの日は古い時代の暦では元日とされていたため、日本では小正月《こしょうがつ》とよばれます。

また、ソーグヮチグヮーの前日である14日に豚肉を使った料理を仏壇に供える家庭もあり、これは旧暦の15日が元日だった時代の年越し（大晦日《おおみそか》）のなごりで、ジューユッカー（十四日）、トゥカユッカー（十日四日）などとよばれます。

◉ジュールクニチー（1月16日）

グソーヌソーグヮチ（「グソー」は後生《ごしょう》で、あの世の正月という意味）といわれ、宮古・八重山・久米島をはじめ、沖縄本島北部などではとくに盛大におこなわれ、一族で墓参してジューバク（重箱に詰めた料理と餅）などを供え、祖霊をまつります。

沖縄本島中南部では墓を掃除して、仏壇に簡単な供え物をする程度ですが、一年以内に死者の出た家では、ミージュールクニチー（新十六日）といって、墓前と仏壇にジューバクなどを供え、親戚や近隣の人も故人宅に焼香に訪れます。

新暦1月16日におこなう地域も一部にみられます。

◉ジューハチヤ（1月18日）

旧暦1、5、9月の年3回おこなわれる、観音を拝む行事。一門や一家の守護神として自宅に観音をまつっている家庭では、饅頭や果物などを供えて加護を願います。また、この日は県内各地の観音堂にも多くの参詣者が訪れます。

ジューハチヤ（十八夜）の名は、もともと18日の夜に月が出るのを待っておこなったことに由来するものです。

◉ハチカソーグヮチ（1月20日）

正月行事の締めくくりとして、豚肉を用いた料理を仏壇に供えました。正月用に甕《かめ》に貯蔵し保存していた肉を食べつくすという意味で、カーミアレー（甕洗い）という地域もあります。また、この日に仏壇、ヒヌカンの正月飾りを下げる家庭もあります。

那覇市辻では、馬の頭部をかたどった板に付けた手《た》綱《づな》を手に、華やかな装いの女性たちが「ユイ、ユイ、ユイ」とはやしながら舞い、町内を練り歩くジュリウマが催されます。

ニングヮチ 旧暦2月

◉ヤシチヌウグヮン（2月中の吉日）

屋敷を清め、一家の息災などを願う儀礼で、酒、ハナグミ、ヒラウコー（線香）に加え、菓子や果物などを供えて屋敷内の各所を拝みまわります。旧暦2、8、12月などにおこないますが、2月のヤシチヌウグヮンは、年頭に一年間の家族の加護を願うためのものと一般に考えられているようです。

拝む場所は、ヒヌカン・仏壇・床《とこ》の間・門・屋敷の四隅・ナカジン（屋敷の中心）・カー（井戸）・フール（豚舎兼便所。現在はトイレ）などで、屋敷内にフンシなどとよぶ屋敷の神の祠《ほこら》がある家庭はこれも拝みます。屋敷の四隅は、ニーヌファ（子《ね》の方角・北）、ウーヌファ（卯《う》の方角・東）、ウマヌファ（午《うま》の方角・南）、トゥイヌファ（酉《とり》の方角・西）といわれます。

◉ヒガン・ヒンガン・ンチャビ（春分を中日とする7日間）

春と秋（旧暦2、8月）の年2回おこなわれる、祖霊を供養する行事。このうち、2月の彼岸はハルヌヒガン（春の彼岸）ともいい、二十四節気《にじゅうしせっき》の春分を中日とする7日間のうち、適当な日を選んでおこないます。

各家庭で、肉・豆腐・揚げもの・餅などを仏壇に供え、ウチカビ（紙銭）を焼きます。彼岸の行事を「ンチャビ」とよぶ地域もありますが、ンチャビとはウチカビのことです。

門中の行事とされ、家庭ではおこなわない地域もあります。

◉ニングヮチウマチー（2月15日）

麦の穂が出る時期に豊作を祈願する儀礼。麦作の儀礼である2、3月のウマチーと、稲作の儀礼である5、6月のウマチーは「麦稲四祭」と総称され、王府時代には盛大におこなわれましたが、麦に関する2、3月のウマチーはとくに衰退が著しいようです。

ウマチーは、農村地域では村落行事、主に都市部の旧士族層では門中行事とされました。村落のウマチーは、ノロをはじめとする神役や各門中の代表が神酒やハナグミなどを供えてウタキ（御嶽）や殿《トゥン》、根屋《ニーヤ》などの聖地を巡拝し、門中のウマチーは宗家にまつられた祖神の神棚を拝みます。多くの地域でウマチーの日取りが15日に定まったのは近代以降で、それ以前は王府が吉日を選んでおこなわせていました。

サングヮチ 旧暦3月

◉サングヮチャー・サングヮチサンニチー（3月3日）

上巳《じょうし》の節供《せっく》で、おもに女子の息災や健康を願う行事。サングヮチャーという地域もあるほか、宮古ではサニツ（三日）とよばれます。この日は、女性のみで集まって紅色に染めた料理や握り飯、フーチムチ（よもぎ餅）を詰めたウジュー（重箱）を持参し、海岸で遊び楽しむハマウリ（浜下り）がおこなわれました。海の白砂を踏むことや、香りの高いよもぎを混ぜ込んだ餅を食することは、ともに汚れをはらう意味があり、厄払いを目的におこなわれる儀礼です。

地域によっては、女性だけで集落内のウタキ（御嶽）などの聖地を巡拝したあと、サングヮチアシビ（三月遊び）といって余興を伴う宴を催しました。

◉シーミー・ウシーミー（清明の節内）

二十四節気《にじゅうしせっき》の清明の節内に、門中や各家庭で墓参して供え物をし、祖霊をまつる行事。首里や那覇を中心に、本島中南部地域でさかんにおこなわれますが、宮古・八重山・久米島をはじめ、沖縄本島でも北端や南端部の地域では、家庭の行事としてはほとんど普及していません。

清明の入りか、それに近い日に、カミウシーミー（神御清明）、ムンチューシーミー（門中清明）などといって、門中ごとに遠祖にゆかりのある古墓を巡拝します。神御清明が済むと各家庭のシーミーをおこない、各自の門中や家の墓にジューバクなどを供えて拝みます。

那覇近郊や本島中部地域などの家族墓が主流の地域

では、墓前で供え物のウサンデー（お下がり）を食して過ごしますが、門中墓の多い本島南部地域では何か所かの墓を巡拝したあと、景色のよい野山などに場所を移してウサンデーをすることも多いようです。

なお、一年以内に身内に不幸があった場合は、清明の墓参はおこなわないものとされます。

◉サングヮチウマチー（3月15日）

麦の収穫の時期に豊穣に感謝する儀礼。2月のウマチーと内容はほぼ同じですが、3月のウマチーは麦稲四祭の中でももっとも簡素化が著しく、現在ではおこなわない地域や門中も多いようです。

シングヮチ 旧暦4月

◉ムシバレー・アブシバレー（4月中）

村落単位でおこなわれる農作物の豊作を願う儀礼。田畑の害虫を捕獲し、葉で作った小さな船にのせて海や川に流す虫流しや、田のアブシ（あぜ）の草取りなどをおこないました。また、ジューシー（炊き込みご飯）などのご馳走をこしらえて公民館などで小宴を催す地域や、人の体に寄生する虫も駆除するとして、虫下しの効能のあるナチョーラ（海人草《かいじんそう》）を煎じて飲む地域もありました。

近年は、人々の生活が必ずしも農業中心ではなくなったため、この行事をおこなう集落も少なくなっています。

グングヮチ 旧暦5月

◉ユッカヌヒー（5月4日）

子供のすこやかな成長を願い、各家庭でポーポーやチンビン（水溶きした麦粉を薄く焼き、筒状に巻いた菓子）を仏壇に供えました。漁村では豊漁を祈願してハーリー（爬龍船競漕《はりゅうせん》。糸満ではハーレーといいます）がおこなわれ、多くの人々が見物に詰めかけにぎわいました。

また、この日は厄日とされたため、魔除けの意味で子供の喜ぶ玩具を与える習慣があり、かつてはこの時期に合わせ、各地にイーリムンマチ（玩具市）が立ちました。

◉グングヮチグニチー・グングヮチャー（5月5日）

端午《たんご》の節供《せっく》で、子供の息災や健康を願う行事。各家庭で豆や麦を甘く煮たアマガシに菖蒲《しょうぶ》の葉を匙《さじ》がわりに添えて仏壇に供えます。沖縄ではこの日はとくに男児の節供とはされていませんでした。

糸満では、ハーレー（爬龍船競漕）の翌日となるこの日はグソーバーレー（あの世のハーレー）といい、死者がハーレーをするため海へ出てはならないとして漁を休みました。

◉グングヮチウマチー（5月15日）

稲の穂が出る時期に豊作を祈願する儀礼。2月のウマチーと内容はほぼ同じですが、全県的に麦稲四祭のうち、5月のウマチーがもっとも重視され、盛大におこなわれる傾向にあります。

ウマチーの重要な供え物である神酒は、ミチ、ウンサク、ジンスなどとよばれ、現在では米のかゆや米粉を炊いたものに砂糖を加えたものが多くなりましたが、古くは若い女性が噛んだ米を桶などに入れ、3日ほど発酵させて作りました。旧暦5、6月ごろは蒸し暑く、3日前に仕込むとウマチー当日には発酵がかなり進んで酸味の強い神酒となり、これをミッチャウンサク（ミッチャは「3日」の意味）などといいました。

◉ジューハチヤ（5月18日）

観音を拝む行事で、内容は1月のジューハチヤと同じです。

ルクグヮチ 旧暦6月

◉ルクグヮチウマチー（6月15日）

稲の収穫の時期に豊穣に感謝する儀礼。2月のウマチーと内容はほぼ同じですが、ウマチーヂナといって、この日や翌16日の晩、集落を二分して引き合う綱引きをおこなう地域もあります。

◉ルクグヮチカシチー・カシチーウユミ（6月25日など）

稲の収穫に感謝し、翌年の豊作を祈願する儀礼で、白カシチー（糯米《もちごめ》を炊いた強飯《おこわ》）を仏壇に供えます。カシチーとよばれる行事は旧暦8月にもありますが、カシチーウユミ（強飯折目）という場合はルクグヮチカシチーを指すことが多いようです。また、カシチーヂナ、ミーメーヂナ（「ミーメー」は新米の意味）などといって、綱引きをおこなう地域もあります。

沖縄本島南部を中心に、アミシ、トゥシアミなどとよぶ村落行事のある地域では、カシチーは24日、アミシは25日、あるいはカシチーは25日、アミシは26日とされることもあります。

また、ルクグヮチカシチーとアミシが混同されたと思われる地域もみられます。

シチグヮチ 旧暦7月

◉タナバタ（7月7日）

一連の盆行事のはじまりとされ、門中や各家庭で墓を掃除したあとに供え物をして拝み、盆の案内をします。仏壇にジューバクを供える地域もあります。

タナバタは墓の建造や改修、位牌や仏具の新調によい日とされ、仏壇のウコール（香炉）の灰の掃除も、この日におこなう家庭が多いようです。また、かつてはこの日に洗骨（いったん葬った遺体を墓から取り出し、骨を洗い清めて甕に納め、墓に納骨しなおすこと）をおこなうことも多かったようです。

なお、沖縄ではもともと七夕に笹飾りなどをする風習はありませんでした。

◉**シチグヮチ（7月13日から15日または16日）**

家庭に祖霊を迎えてさまざまな供え物をし、もてなしまつる儀礼。沖縄本島ではシチグヮチ、宮古ではストゥガツ（いずれも「七月」の意味）、八重山ではソーロン（「精霊」の意味）といいます。現在は多くの地域で13日のウンケー（お迎え）から15日のウークイ（お送り）までの3日間ですが、かつてはウークイを16日におこなう地域も多くありました。

13日は、位牌や仏壇を拭き清め、果物やサトウキビなどさまざまな供え物を飾り付けます。準備がととのうと夕方に門口で火を焚いて祖霊を招き入れるウンケーをおこないます。この日の夕食にはウンケージューシーとよぶ炊き込みご飯を供えることが一般的ですが、豚肉を使った汁物などを供える地域もあります。

14日は朝・昼・晩と食膳を供え、本家や親戚宅をまわって祖先の仏壇を拝みます。この日はそうめんをはじめ、チンヌク（里芋）やターンム（田芋）を用いた料理を供える地域が多いようです。

15日も朝・昼・晩と食膳を供え、夜には祖霊を送るウークイをおこないます。ウークイには豚肉・かまぼこ・揚げものなどの料理と餅などを供え、ウチカビ（紙銭）を焼き、集まった一族が焼香して門前で祖霊を送ります。

盆の期間中、沖縄本島では若者たちが歌や太鼓の音に合わせ、踊りながら集落内を練り歩くエイサー、八重山では後生の使いとされるウシュマイ（翁《おきな》）とンミー（媼《おうな》）の面をかぶった2人が、多くのファーマー（子孫）を従えて集落内の家々を訪れ、踊りや珍妙な問答を披露するアンガマなどの芸能があるほか、綱引きや獅子舞を催す地域もみられます。

ハチグヮチ 旧暦8月

◉トーカチ（8月8日）

数え年88歳の長寿祝い。親類や知人などを招いて祝宴を催し、引出物としてトーカチ（斗掻《とかき》。枡《ます》に盛った米を平らにすり切るのに使う竹の棒）を配る習慣があったため、トーカチとよばれます。沖縄の年祝いのうち、ウマリドゥシ（生まれ年。12年ごとに訪れる生年と同じ十二支の年）によらない唯一のもので、日本の米寿《べいじゅ》祝の風習を取り入れたものとされています。

◉ヨーカビー（8月8日から11日ごろ）

シチグヮチ（盆）が済んで間もないこの時期は、辺りに不吉な気が漂うとされ、爆竹などを鳴らして邪気をはらいました。また、各家庭ではジューシー（炊き込みご飯）を仏壇に供えることもありました。

この日は、タマガイ（火の玉）が出るといわれ、子供たちは見晴らしのよい丘や木の上などに登って夜通しタマガイを見張りました。

◉ヤシチヌウグヮン（8月上旬の吉日）

屋敷を清め、一家の息災などを願う儀礼で、屋敷内の各所を巡拝します。拝む場所や供え物などは2月のヤシチヌウグヮンと変わりませんが、旧暦8月のヤシチヌウグヮンはシバサシの前に済ませる地域が多く、これはヤシチヌウグヮンで浄めた屋敷にシバを挿し、再び屋敷の外から厄災が入らないようにするためと考えられます。

◉シバサシ・ハチグヮチカシチー（8月10日など）

魔除けと厄災払いの行事。各家庭で、門口や屋敷の四隅、水甕《みずかめ》などに魔除けとしてグシチ（ススキ）の葉数本とナンデンシー（桑）の小枝を束ねて結わえたゲーン、サンとよぶものを挿します。また、ハチグヮチカシチーといって、仏壇には赤カシチー（糯米《もちごめ》に小豆を入れて炊いた強飯）を供えました。

シバサシとカシチーを同じ日にする地域がある一方、シバサシは9日、カシチーは10日と、日を分けておこなう地域もあります。また、シバサシはおこなうもののカシチーを供えない地域も多くみられます。

◉ジューグヤー（8月15日）

豊作に感謝する行事で、中秋《ちゅうしゅう》の名月にあたるためウチチウマチー（御月御祭）とよぶ地域もあり、各家庭でフチャギ（小豆《あずき》をまぶした長円形の餅）をヒヌカンや仏壇に供えます。

舞踊や組踊《くみおどり》といったさまざまな芸能を上演するジューグヤーアシビ（十五夜遊び）や、集落を二分して引き合う綱引きなどを、集落をあげて豊年祭として催す地域もあります。

◉ヒガン・ヒンガン・ンチャビ（秋分を中日とする7日間）

春と秋（旧暦2、8月）の年2回おこなわれる、祖霊を供養する行事。このうち、8月の彼岸はアチヌヒガン（秋の彼岸）ともいい、二十四節気《にじゅうしせっき》の秋分を中日とする7日間のうち、適当な日を選んでおこないます。

内容は2月と同じですが、彼岸は2月の一度のみで8月はおこなわない地域もあります。

クングヮチ
旧暦9月

◉カジマヤー（9月7日）

数え年97歳の長寿祝い。沖縄本島一帯ではカジマヤー、八重山ではマンダラーとよばれます。

カジマヤーを迎えた本人を輿《こし》（近ごろではオープンカーなどの自動車が使われます）に乗せ、家族や親類が付き従って集落内を練り歩き、地域をあげて盛大に祝宴が催されます。多くの人々が長寿にあやかろうと祝いに駆けつけ、その出席者には引出物としてカジマヤー（風車《かざぐるま》）が配られました。

◉クングヮチクニチ・チクザキ（9月9日）

重陽《ちょうよう》の節供、菊の節供で、各家庭でチクザキ（菊《きく》酒《ざけ》。盃に酒を注ぎ、菊の葉を浮かべたもの）をヒヌカンや仏壇に供え、家族の息災を願います。ただし、もともとおこなわない地域や家庭も多い行事です。

また、この日にムヌメー（物参）といって、家族の息災や子供の健やかな成長を願い、霊石をまつるビジュルやティラなどとよばれる拝所を参詣する地域もあります。

◉クングヮチウガミ・カミウガミ（9月中）

門中単位でおこなう、遠祖にゆかりのある聖地などを巡拝する行事で、知念・玉城（現南城市一帯）などの聖地を巡るアガリウマーイ（東御廻り）と、今帰仁城内の拝所やその近辺の古墓、ノロ殿内などを巡るナチジンヌブイ（今帰仁上り）、ナチジンウガミ（今帰仁拝み）とよばれるものがよく知られています。
旧暦9月におこなう地域が多いのは、かつてこの時期が農閑期で、遠出をともなない日数のかかる巡拝に適していたためと考えられます。カミウガミは毎年ではなく、3年おき、7年おきというように何年かごとにおこなうのが一般的で、これをニンマーイ、ニンマールー（年廻り）などといいます。

◉ジューハチヤ（9月18日）
観音を拝む行事で、内容は1月のジューハチヤと同じです。

ジューグヮチ 旧暦10月

◉カママーイ・ヒーマーチヌウグヮン（10月上旬の吉日）
各家庭で台所のかまどを念入りに掃除し、村落の役員などが各戸をまわってその状況を点検する、防災のための行事です。各家庭でヒヌカンに供え物をしたり、ノロや神役が殿《トゥン》などの拝所で集落内に火災が起こらないよう祈願したりする地域もあります。

※旧暦10月はほかの月に比べて行事が少なかったことから、仕事を休んでご馳走にありつく機会にも恵まれず、無味乾燥であきあきするという意味で「カリジューグヮチ（涸《か》れ十月）」「アチハティジューグヮチ（あき果て十月）」などとよばれました。

シムチチ
旧暦11月

◉シマクサラシ・シマカンカー（11月1日など）

村落単位でおこなう行事で、牛や豚の肉や骨を結わえたヒジャイナー（左ないの縄）を集落の入口などに張り渡して結界をし、悪霊や災厄の侵入を防ぎました。この行事のために解体した家畜の肉は煮炊きして集落の人々で分け合って食し、血は各家庭で戸口などに塗り付けて悪疫《あくえき》除けとしました。

旧暦11月のほか、2、3、6、8月などにおこなう地域もあります。

◉トゥンジー（冬至の日）

二十四節気《にじゅうしせっき》の冬至の日に、各家庭で豚肉やチンヌク（里芋）などを具材にした炊き込みご飯であるトゥンジージューシーを仏壇に供え、家族の息災を祈願します。冬至は古い時代の暦では元日であったとされ、トゥンジーソーグヮチ（冬至正月）という言葉もあります。

冬至のころは寒さも一段と厳しくなり、この時期に訪れる寒波はトゥンジービーサとよばれます。

シワーシ 旧暦12月

◉ムーチー・ムーチーウユミ（12月1日、7日、8日など）

子供の健康と息災を願い、各家庭でサンニン（ゲットウ）やクバ（ビロウ）、ウージ（サトウキビ）などのカーサ（葉）で包んで蒸したムーチー（鬼餅）とよぶ餅をヒヌカンや仏壇に供えるほか、サギムーチー（下げ鬼餅）といって子供の年齢と同じ数のムーチーを縄で連ね、軒下《のきした》や屋内の鴨居《かもい》に吊り下げました。また、子供の誕生後はじめて迎えるムーチーをハチムーチー（初鬼餅）といい、ムーチーをたくさん作って親類などに配りました。ムーチーの行事は、12月1日、あるいは7日におこなう地域もあり、『球陽《きゅうよう》』には、もともと12月の庚子《かのえね》・庚午《かのえうま》の日におこなっていたものを、尚敬王《しょうけいおう》代（1735年）に12月8日に定めたと記されています。この時期に訪れる寒波はムーチービーサとよばれます。近年では、新暦12月8日におこなう地域もみられます。

◉ウグヮンブトゥチ（12月24日など）

一年間に一家の繁栄や息災を祈願した対象に、加護を感謝して願いごとを解く行事。ウカチミ（十二支の守本尊《まもりほんぞん》）をまつる寺院の巡拝や、年末のヤシチヌウグヮン（屋敷の御願）などがウグヮンブトゥチ、あるいはニンシーヌウグヮン（年末の御願）などと総称され、12月中の適当な日を選んでおこなわれます。また、旧暦12月24日には、ヒヌカンが一年間の家族のおこないを天の神に報告するため上天するとされ、酒、ウチャヌク（3段重ねの白餅）、ウブク（湯のみなどに山高に盛った米飯）などを供えて拝みます。この行事もヒヌカンへの一年の締めくくりの祭祀という意味でウグワンブトゥチとよばれ、ヤシチヌウグヮンなどとあわせておこなう例もあります。ヒヌカンの上天に線香を7回続けて焚く家庭もあり、この煙に乗って天に上るといわれます。なお、天の神への報告を済ませたヒヌカンが下天する日にも、これを迎える拝みをおこないますが、その日取りはトゥシヌユール（大晦日《おおみそか》）、元日、1月4日など、地域や家庭によってさまざまです（ヒヌカンは上天や下天をしないとする地域もあります）。

◉ウヮークルシー（12月26日ごろ）

正月料理用の肉を確保するため家庭で飼育しているウヮー（豚）を解体し、その際に得られる豚の血を使ってチーイリチー（豚の血と肉、野菜の炒め煮）を作り、仏壇に供えました。肉はスーチキー（塩漬け）にして保存しておき、必要に応じて取り出し、調理しました。この時期に訪れる寒波はウヮークルシビーサとよばれます。

◉トゥシヌユール（12月末日）

大晦日《おおみそか》で、一年間の家族の息災を感謝し、各家庭で豚肉を入れた汁物などの料理を仏壇に供えました。農家では日ごろ使っている鍬《くわ》や鋤《すき》などを洗い清め、家庭によっては並べた農具の前にウブクを供えたり、ネズミにもよい年を取らせ来年は害を加えないよう願う意味で、家屋の天井の梁《はり》や桁《けた》に握り飯やみかんを置いたりしました。正月飾りをトゥシヌユールにおこなう地域も多く、沖縄には一夜飾《いちやかざ》りを忌む風習はとくにありません。

夕食には、魔除けの意味で各自の膳の上にニンニクの葉を1本ずつ添え、また、トゥシトゥイジシ（年取り肉）などといって、豚肉のかたまりを家族で切り分けて食しました。沖縄には、もともと年越しそばの習慣はありませんが、近年ではトゥシヌユールや新暦の大晦日に沖縄そばを食する家庭も多くなりました。

あとがき

首里城第二の坊門、守礼門に「守禮之邦《しゅれいのくに》」の扁額が掲げられていることは、沖縄県民のほとんどが知るところでしょう。しかし昨今の沖縄は、残念ながらこの語にはおおよそ似つかわしくない、憂うべきことがずいぶん多いように感じられます。

かつての琉球の民と今の沖縄県民とは、まったく異なる精神をもつようになったのでしょうか。否、そのようなことはないと私は思っています。ただ、現代人は日々いろいろなものごとに追われすぎて、少しばかり心の余裕、他者への思いやりの心を欠いてしまっているということなのでしょう。

このかた数十年、社会のしくみはかつてない勢いで変化をとげ、諸技術も日進月歩の発達を続け、生活面での地域差もずいぶんと希薄になってきました。そして、「伝統的」というイメージからか、今も昔もさほど変わらないものと思われがちな祭祀や信仰もまた、今を生きる人々の営み、すなわち現代社会の一要素である以上、ゆるやかながらも変容を続けています。そのため、今の世の中で伝統を守り抜くには多くのエネルギーが必要となり、逆に、現代の暮らしには合わないからと、旧来のしきたりを一気呵成に排除しようとすれば、地域や親類縁者との間に軋轢を生むことがあるのです。

程度の差こそあれ、現代社会に身をおくかぎり、誰しもこうした問題を避けて通ることはできませんが、実はその解決のヒントが、これまで民俗学が積み上げてきた成果の中には数多く存在しています。しかし、いかんせん研究者の話すことや書くものは難解として一般の方々には敬遠されがちですから、そうした成果をよりわかりやすく伝え広めることも、今日の民俗学が果たすべき重要な役割といえるでしょう。

いささか理屈っぽいといわれるかもしれませんが、現代にあって過去の人々の営みを学ぶ意味を自問しつつ学び続け、しだいにこうした思いを強く抱くようになった私が、それをひとつのかたちにできればと考え、執筆に取り組んだのが本書でした。

祖先や神仏をまつる際の心構えを示す、「如在《いますがごとし》」という言葉があります。その意味は、あたかも祖先や神仏がそこに実際においでになるかのように真心から奉仕する、といったものです。伝統的なしきたりや供物などの随所に看取できる、かつて多くの人が備えていたであろう「如在」の心を、今を生きるわれわれが少しだけでも取りもどせたならば、その延長線上に他者の立場に思いを致す力、想像力も自然身につき、ふたたび「守禮之邦」が現出するのではないかと、ひとり夢想するのです。

本書は、毎月1日発行の沖縄タイムス〝ニコ〟紙「旧暦カレンダー」で、2015（平成27）年1月から2018（平成30）年12月まで、48回にわたり連載した「折目節日みちしるべ」をもとに、新たに「お墓のはなし」「沖縄の供え物あれこれ」「沖縄の年中行事（旧暦1月～12月）」を収録し、写真や図、表などを添えてよりわかりやすいよう構成を大きく改め、一冊にまとめたものです。

そして、今回の書籍化に際し、こうした本書の内容をよりわかりやすく、より端的に表したいとの思いから、書名を『ヒヌカン・仏壇・お墓と年中行事』とし、副題には「すぐに使える手順と知識」の一文を加えることにしました。

刊行にあたっては、既刊の『沖縄しきたり歳時記』『御願の道具と供えもの事典』などに続き、喜納えりかさんをはじめボーダーインクの各氏には種々細やかなご配慮を賜りました。同社創立30年の節目に本書を刊行できたことはほんとうにありがたく、感謝にたえません。

また、いまは亡き恩師、平敷令治先生をはじめ、これまで数々のご指導やご厚情をお寄せくださった皆さまにも、改めて心より感謝を申しあげるとともに、調査と研究、その成果をより広く、よりわかりやすく伝える活動を通して、いささかなりともそのご恩に報いることができればと思っています。

令和庚子孟陽　思翠堂にて

著者しるす

増刷に際し、齊藤淳一兄のご指摘により適切な修正を施すことができました。ここに記して深く感謝の意を表します。

おもな参考文献（編著者名 五十音順）

このほか、県内各地域の市町村史（誌）や文化財調査報告書、字誌、事典類など多くの資料を参考にしましたが、ここではおもなもののみを掲げました。

稲福政斉「青い仏具は海の色―変容する習俗とつくられる伝承―」宜野座村立博物館『宜野座村立博物館紀要ガラマン』一六 二〇一〇

稲福政斉『御願の道具と供えもの事典』ボーダーインク 二〇一八

稲福政斉『沖縄しきたり歳時記 増補改訂』ボーダーインク 二〇一九

上江洲均『沖縄の民具』慶友社 一九七三

上江洲均『沖縄の暮らしと民具』慶友社 一九八二

沖縄県教育庁文化財課史料編集班編『沖縄県史研究叢書18 沖縄の民俗資料』沖縄県教育委員会 二〇一八

嘉手川重喜『沖縄の神々と祭 年中行事』新星図書 一九七四

鎌倉新書編『寺院用仏具事典』鎌倉新書 二〇〇三

窪徳忠『増訂 沖縄の習俗と信仰』東京大学出版会 一九七四

窪徳忠『中国文化と南島』第一書房 一九八一

窪徳忠『目で見る沖縄の民俗とそのルーツ』沖縄出版 一九九〇

国立国語研究所編『国立国語研究所資料集5 沖縄語辞典』大蔵省印刷局 一九六三

崎原恒新『沖縄の年中行事』沖縄出版 一九八九

崎原恒新・山下欣一『沖縄・奄美の歳時習俗』明玄書房 一九七五

渡口初美『沖縄の葬祭と先祖供養』国際料理学院 一九八五

渡口初美『沖縄の祝祭と年中行事』国際料理学院 一九八七

那覇市企画部市史編集室編『那覇市史 資料篇 第2巻中の7 那覇の民俗』那覇市企画部市史編集室 一九七九
那覇出版社編『沖縄の冠婚葬祭』那覇出版社 一九八九
新島正子『私の琉球料理』柴田書店 一九八三
「日本の食生活全集 沖縄」編集委員会編『日本の食生活全集47 聞き書 沖縄の食事』農山漁村文化協会 一九八八
比嘉淳子・チームくがに『沖縄暮らしのしきたり読本 御願・行事編』双葉社 二〇〇八
比嘉朝進『沖縄の年中行事一〇〇のナゾ』風土記社 一九八四
平敷令治『沖縄の祭祀と信仰』第一書房 一九九〇
平敷令治『沖縄の祖先祭祀』第一書房 一九九五
ボーダーインク編集部編『おきなわの一年』ボーダーインク 二〇一八
宮城文『八重山生活誌』沖縄タイムス社 一九八二
むぎ社編『絵でみる御願365日』むぎ社 二〇一五
「よくわかる御願ハンドブック」編集部編『よくわかる御願ハンドブック ―ヒヌカン・トートーメー12カ月―』ボーダーインク 二〇〇六
渡邊欣雄他編『沖縄民俗辞典』吉川弘文館 二〇〇八

稲福　政斉（いなふく　まさなり）
那覇市出身。沖縄各地の伝統的なしきたりや行事、祭具、供物について調査研究を重ね、その成果をわかりやすく伝える著述や講演活動に取り組む。現在、沖縄国際大学、沖縄大学非常勤講師のほか、糸満市、北中城村、宜野座村、宮古島市などで展示施設や文化財、地域史関連の委員等をつとめる。
著書に『沖縄しきたり歳時記』（ボーダーインク、二〇一五）『御願の道具と供えもの事典』（同、二〇一八）『沖縄しきたり歳時記　増補改訂』（同、二〇一九）、監修に『おきなわの一年』（同、二〇一八）があるほか、論考や連載多数。

すぐに使える 手順と知識
ヒヌカン・仏壇・お墓と年中行事

2020年2月29日　初版第一刷発行
2022年6月30日　　　第三刷発行

著　者　稲福　政斉
発行者　池宮　紀子
発行所　（有）ボーダーインク
〒902-0076　沖縄県那覇市与儀226-3
tel.098（835）2777　fax.098（835）2840
印刷所　（有）でいご印刷
ISBN978-4-89982-377-3